国学经典

[宋] 孟元老 撰

王永宽 注译

东京梦华录

中州古籍出版社

# 东京梦华录

# 前言

《东京梦华录》是记述关于北宋后期京都汴京地理风物的一部重要文献。

今存本皆题孟元老撰,因卷前有《梦华录序》,末署"绍兴丁卯岁除日幽兰居士孟元老序",据此可知,此书撰成于南宋高宗绍兴十七年(1147年),写序之除夕日即腊月二十九日,已是公元1148年1月22日。作者在自序中说,他于宋徽宗崇宁癸未(1103年)跟随做官的父亲一起到京师居住,"靖康丙午之明年",即南宋高宗建炎元年(1127年),"出京南来,避地江左",可知他在京师生活了二十三年多。本书内容即是记述他所见所闻的京都汴京的情形。

作者自序中还说:"古人有梦游华胥之国,其乐无涯者,仆今追念,回首怅然,岂非华胥之梦觉哉!目之曰《梦华录》。"这反映了作者写作此书的动机和心境。靖康元年(1126年)金兵攻占汴京,宋徽宗和宋钦宗父子二人一同被俘虏而去,北宋朝廷覆亡,这是中国历史上的一件大事。"靖康之乱"给中原百姓带来惨重的灾难,也给北宋朝臣及广大文士造成了沉痛的精神和心理创伤,国耻与家恨深入骨髓。在南宋朝廷偏安于临安之后的一段时间里,逃到江南的文士无不对北宋后期的太平盛世充满深切怀念。周辉《清波别志》卷二记载:"绍兴初,故老闲坐必谈京师风物,且喜歌曹元宠'甚时得归京里去'十小阕,听之感慨,有流涕者。"曹元宠即曹组,字元宠,颍昌(今河南许昌)人,他的这句歌词反映了南渡文士思念旧京的心情。而在当时,孟元老则是通过撰作这部专著,全面回忆东京的繁华景象。此书正是在南宋初年江南士人普遍存在着浓厚怀旧思潮的背景下问世的。

《东京梦华录》常见的流行本为十卷,从各个方面记述了北宋都城汴京的详细情况。包括京城的城市布局,河道走向与桥梁,内城宫殿及宫廷内外的机构设置,京城里的主要街巷名称及主要寺院道观,京城里的店铺、酒楼及勾栏瓦肆等场所的经营与活动,京城里的管理、防务、消防、运输等方面的职能与运作,京城里的民众在伎艺表演、娱乐、娶亲、生子等方面的风俗,一年当中各个重大节日的各种习俗,尤其是对皇宫中的元旦朝会、圣驾出行、观戏观射及进行各种祭祀活动的礼仪与过程记述得更为详尽。这些内容,涉及京城地理、礼仪制度、经济状况、商业贸易、社会风习等各个领域,为了解北宋后期的政治、经济、文化提供了大量的第一手资料。

由于《东京梦华录》一书内容丰富、翔实,因而问世之后影响甚大。南宋时期,一些相关的著作常见引录《梦华录》所记载的事实。成书于南宋高宗绍兴二十四年(1154年)的吴自牧所撰《梦粱录》,成书于南宋宁宗时期(1195~1224年)的《西湖老人繁胜录》,成书于南宋理宗端平二年(1235年)的耐得翁所撰《都城纪胜》,成书于元朝初年的周密所撰《武林旧事》,这几种著作在编撰体例和叙述方式上大都同于《东京梦华录》,其中涉及朝政礼仪、节日风俗,尤其是北宋旧都汴京的地理风物等内容时,其文字叙述也略同于《东京梦华录》。此外,徐梦莘《三朝北盟会编》卷七十四"靖康中帙"记靖康二年(1127年)正月初一日事时,引录

《中兴遗史》写皇帝坐大庆殿各国使臣朝贺一段，基本上是抄录《东京梦华录》卷六"元旦朝会"一节的文字。袁褧《枫窗小牍》中有十几段材料，也和《东京梦华录》中的内容大体相同。后世不少著作中涉及北宋时期的礼仪制度、节令习俗及伎艺表演等内容，常见引用《东京梦华录》。当代学者在研究戏曲史、文化史、民俗史乃至烹饪史等时，引用《东京梦华录》的现象也非常普遍。尤其是关于北宋末年都城汴京的勾栏瓦肆中的说唱艺术、杂剧与杂技杂耍表演等情形，《东京梦华录》中的记述几乎是唯一可以利用的资料。从后世引录引用的情形来看，《东京梦华录》具有特别珍贵的文献价值，因而具有经典性的传世意义。

关于《东京梦华录》的作者，从现有存本来看，人们只知其名为孟元老，其号为幽兰居士，他在汴京生活的时间及成书的时间也仅如其序文中所述，其生平资料难觅旁证。因此，有关古籍目录著作和当代工具书中介绍此书作者孟元老时，大都是说他"始末未详"或"不知何人"。

民国时期，张元济的《涵芬楼烬余书录》中关于《东京梦华录》的介绍，谈到其好友邓孝先（名邦述）收藏有道光十二年（1832年）常茂徕钞本，上有常茂徕的跋语，其中说孟元老即是徽宗时曾官礼部侍郎的孟揆，并且肯定地认为："揆非异人，即元老也，元老其字而揆其名者也。"（见本书附录）邓孝先谓："揆字元老，无他书为之佐证，而前人读书细心处不可掩。"这里，邓孝先肯定了常茂徕读书细心的优点，却并没有肯定他的关于孟元老就是孟揆的结论。

20世纪80年代初，孔宪易的文章《孟元老其人》（见《历史研究》1980年第3期）认为孟元老不可能是孟揆，而是孟昌龄的族人、曾官为开封府仪曹的孟钺。此文据《宋史》及《宋会要辑稿》、《三朝北盟会编》等史料进行分析，指出孟揆在政和二年（1112年）艮岳修建时已经备位侍郎，不会太年轻而且已经有一定的经历了；而孟元老在《梦华录序》中说他在崇宁二年（1103年）随父亲到京师时尚在童少时期，后来才"渐次长立"，到政和二年（1112年）时不过才九年时间，不可能这么快就从一个小孩子到"备位侍郎"的位置。因此，孔宪易在此文中断言："常茂徕的孟元老即孟揆说是无稽的。"

孔文找出孟钺，根据的是孟昌龄及其家族随着徽宗时的太师蔡京的倒台而被治罪的资料。《宋史·河渠志三》记载，宋钦宗于宣和七年（1125年）十二月即皇帝位之后，靖康元年（1126年）二月，就有御史中丞许翰上奏道："保和殿大学士孟昌龄、延康殿学士孟扬、龙图阁直学士孟揆，父子相继领职二十年，过恶山积……陛下方将澄清朝著，建立事功，不先诛窜昌龄父子，无以昭示天下，望籍其奸赃，以正典刑。"钦宗准奏，于是蔡京及其一党的蔡攸、童贯、王黼、朱勔、王安中、杨戬、孟昌龄、梁师成等官僚的子弟亲戚中有官职者，都受到株连并予以处治。孟昌龄的儿子孟扬、孟揆、孟持都被免官。《宋会要辑稿》记云："开封府仪曹孟钺、将作少监宋黼（应是"𪖈"字，宋𪖈是蔡攸妻弟）放罢……皆以蔡京、攸、王黼、王安中、孟昌龄之子弟亲戚，言者论其倾附，为之心腹，未蒙斥免，故皆责之。"（"职官六九之二四"）据此知孟钺是孟昌龄族人，当无疑义，但究竟与孟昌龄是什么亲属关系，却语焉不详。孔宪易的这篇文章中，对于孟钺即是孟元老的具体分析，这里不必细述，其大体思路是据此进行推测，并没有用十分肯定的语气来表述。

最近几年中，关于《东京梦华录》的作者问题又被重新提起。李致忠先生发表《〈东京梦华录〉作者续考》（见《文献》2006年第3期）进一步支持与坐实了孔宪易的推断，并补充了三点新的材料。其一，李文引《靖康要录》卷五所记靖康元年（1126年）五月五日臣僚上奏之语云："顷者奸臣用事，子弟亲戚本无才学，夤缘冒等超躐显位，其甚者已赐罢黜。有幸免者，若……孟昌龄孙开封府仪曹孟钺，或冒从官贴职之荣，或膺任使宫祠之职，未蒙斥免，士论怫郁，伏望褫罢。"据此指明孟钺是孟昌龄的孙子。其二，李文引《宋人传记资料索引》云："孟扬，分宁人，扶弟，黄庭坚之甥。庭坚作《劝学》赠之，勉其奋发，以光前人。"据此指明孟氏的籍贯为分宁（今江西修水），并指出孟扬是黄庭坚的外甥，而且孟扬还有兄名孟扶。其三，李文引《靖康要录》卷一所记靖康元年正月十八日事云："孟钺上章荐范宗尹、朱梦说，圣旨依奏，并招赴阙。"又引《靖康要录》卷二所记二月五日孟钺再次上奏保荐李纲。据此知孟钺在国事危难之际还有举荐他人的作为。在根据各方面的史料进行综合分析的基础上，李文以较为肯定的语气认为："可见，'孟元老即孟钺'之说，十分可信。"

综观孔宪易和李致忠两先生的文章，在探讨孟元老其人的本来面目时均有重要发现，提出孟元老即是孟钺的推断也很有价值。但是，我认为，这对于确定《东京梦华录》的作者身份仍然不能作为最终的结论。因为，这里的根本问题是，孔文和李文都还是在现有史料及《东京梦华录》的序文与书中某些文字的基础上进行分析和揣测，都没有举出能够说明孟钺即是孟元老的铁证，即使是说"很有可能是"也并不等于说"就是"。李致忠先生在文章中也指出："因此孟钺是否真的就是孟元老，尚缺乏更直接的证据。"

而且，关于孟昌龄至孟钺祖孙三代的情况，也还有一些事实需要进一步查清。

第一，孟昌龄到底有几个儿子？从以上所引资料，我们可以看出孟昌龄起码有四个儿子，即孟扶、孟扬、孟揆、孟持。此外，孔宪易文章中还引录《宋会要辑稿》"职官六三之十一"记宣和七年

（1125年）五月四日臣僚上奏之语云："都水监隶工部孟今上御名为都水使者，其兄揆为工部侍郎……皆以亲嫌，乞令回避，以绝党附之私。从之。"因《宋会要辑稿》所引录的材料是南宋宁宗时人所撰，"孟今上御名"应是孟扩，即避宋宁宗赵扩名讳而如此书写。据此可知，孟昌龄还有一个儿子名叫孟扩，排行在孟揆之后。

第二，孟钺到底是谁的儿子？从孟钺在靖康元年（1126年）已官为开封府仪曹并能够向朝廷上奏这一事实来看，此时他的年龄不会太小，或许在三十岁左右。此年其祖父孟昌龄尚健在。因此，孟钺既然是孟昌龄的孙子，他很可能是其子辈中的长门长子或次门长子，即他可能是孟扶之子或孟扬之子，而不可能是老三、老四、老五之子。《靖康要录》卷五记述了靖康元年（1126年）五月孟钺被罢免官职之后，卷六又记述此年六月二十七日事云："臣僚上言，伏见四月诏书，以杨戬、李彦之公田，王黼、朱勔之应奉，童贯、谭稹之军功，孟昌龄之河防，皆蠹国害民，罪之大者。盖七人皆一体同罪……乞早正杨戬籍没之典，速加孟昌龄殂窜之刑。奉圣旨，孟昌龄责授昭化军节度副使，江州安置；孟扬责授海州团练副使，池州安置；孟揆责授黄州团练副使，抚州安置；孟持落职放罢。"据此可知，孟昌龄被安置（实为流放）在江州（今江西九江），孟扬被安置在池州（今安徽池州），孟揆被安置在抚州（今江西抚州）。这里没有提到孟扶和孟扩。此二人中，孟扶是孟昌龄的长子，可能是无官职，住在原籍分宁（今江西修水）守祖宅祖茔；孟扩在此前已被免官，可能也已经归故里。如果孟钺果然就是孟元老的话，那么根据《梦华录序》中所言"避地江左"一语，他很有可能是孟扬之子，此时随父亲住在池州。由于其祖父、伯、叔皆在江西（古称江右），他在池州就可以说是在"江左"了。

第三，孟钺是否确以元老为字或号？根据现在可以看到的资料，不知道孟钺的字或号为何。《东京梦华录》所题孟元老，也未明言"元老"是名还是字或号。孔文和李文的分析中都认为，孟钺如果是《东京梦华录》的作者，由于他是当时臭名昭著的孟昌龄的孙子，而且他本人也是被朝廷处治过的罪官，因而他在所著书中不愿使用真名而假编一个字或号为"元老"，是合乎常理的。当然，分析毕竟是分析，如果要真正落实孟元老就是孟钺，还必须有确切的旁证，证实孟钺确有字或号为"元老"，或者证实孟元老确有本名为孟钺。

因此，现在说起《东京梦华录》的作者，还是应当题署为"孟元老撰"，暂不肯定为"孟钺撰"比较稳妥。真正落实孟元老就是孟钺，还有待于新的铁定材料的发现和更有说服力的证明。2006年中华书局出版的伊永文《东京梦华录笺注》，前言中说"余以为不必坐孟元老为孟钺，疑元老取宋人常见名字为托名"，这是负责任的谨慎态度，值得赞赏。

《东京梦华录》最早刊行于南宋孝宗淳熙十四年（1187年），赵师侠为之题跋。这便是后人所说的"宋大字本"。赵希弁《昭德先生郡斋读书志·附志》著录的《梦华录》一卷，陈振孙《直斋书录解题》和马端临《文献通考》著录的《东京梦华录》一卷，都是根据这一刊本。但是，这一刊本已经失传。

其次是元刊本，题为《幽兰居士东京梦华录》，十卷，明初又据元刊本重印。清代学者黄丕烈所见并题跋的就是这一刊本。此刊本如今国内罕见，日本静嘉堂文库有收藏，为《静嘉堂秘笈》的第三种。

《东京梦华录》的明代刊本有弘治十六年（1503年）刊本，是据元刊本的重雕本，十卷，黄丕烈题跋中说朱彝尊收藏的即此本，后来罕见。明代嘉靖年间李濂所作《跋〈东京梦华录〉后》（见《汴京遗迹志》卷十八），可能是据弘治刻本而作。万历年间沈士龙、胡震亨又将《东京梦华录》重刻，仍为十卷，收入《秘册汇函》中，并有题跋，这便是后来所谓的"秘册汇函本"。崇祯年间，沈士龙、胡震亨的《秘册汇函》残版的补刻本为"绿君亭本"。绿君亭为何人，不详。毛晋据此并加上自己所收藏的古籍，编定并刊行为丛书《津逮秘书》，其中包括《东京梦华录》，毛晋有题跋，这便是后来所谓的"津逮秘书本"。"秘册汇函本"和"津逮秘书本"的两种《东京梦华录》实为一种。

明代陶宗仪编、陶珽重校的《说郛》中收有《东京梦华录》，一卷（宛委山堂本《说郛》卷六十八，商务印书馆本《说郛》卷九十一），可能是依据南宋时初刻的一卷本，但是由于宋刊本已经失传，无法比对。明末钟人杰、张遂辰编辑的《唐宋丛书》收录《东京梦华录》，一卷，归于"别史"类，即是据《说郛》收录。

清代乾隆年间，《四库全书》收录《东京梦华录》，归于"史部·地理类"，十卷，卷前有四库馆臣所写提要。嘉庆年间，张海鹏在毛晋《津逮秘书》的基础上又加以取舍，把丛书名更改为《学津讨原》，今存嘉庆十年（1805年）虞山张氏照旷阁刊本，其中第七集收录《东京梦华录》，十卷，附有赵师侠原跋、沈士龙跋、胡震亨跋、毛晋跋，这便是后来所谓的"学津讨原本"。

《东京梦华录》还有钞本传世。今知有清代道光十二年（1832年）开封常茂徕钞本，民国时期由邓孝先收藏。钞本有常茂徕的跋语，其中提出孟元老即是孟揆的推断。

光绪末至民国年间，张凤台编辑《三怡堂丛书》，河南官书局先后刊行，共收古籍17种。其中《东京梦华录》为第九种，十卷，1925年刊行。

民国时期，《东京梦华录》收录于《丛书集成初编》，十卷，系据"秘册汇函"本影印，后附赵师侠原跋和毛晋跋，20世纪30年代出版。

中华人民共和国成立后，1956年上海古典文学出版社出版了《东京梦华录》的排印本，与《都城纪胜》、《西湖老人繁胜录》、《梦粱录》、《武林旧事》共五种合为一册；1962年中华书局上海编辑所又将此本重印。1959年中华书局出版了邓之诚的注释本《东京梦华录注》，前有邓之诚先生的《自序》；1982年中华书局又重新出版《东京梦华录注》，对邓之诚原注中的个别条目作了删订，其他皆未改动。1982年中国商业出版社出版了《东京梦华录》的排印本，与《都城纪胜》、《西湖老人繁胜录》、《梦粱录》、《武林旧事》共五种合为一册，为《中国烹饪古籍丛刊》之一，书后附录有《东京梦华录》的跋语、提要、题记等十余种。2001年山东友谊出版社出版了李士彪的《东京梦华录》注释本，作为"古名城文化"丛书之一，后附有历代题跋。2006年中华书局出版了伊永文的《东京梦华录笺注》，为"中国古代都城资料选刊"丛书之一，笺注中引证的资料非常丰富。

这次整理《东京梦华录》，以1982年中华书局出版的邓之诚《东京梦华录注》为基础。对于原文的标点，本人根据自己的理解在个别地方有所调整。对于邓先生原注中引录的大量史料，采用了部分内容，而对于邓先生未加注释的不少历史人物、事件、典故、词语等则增加了相当多的注释条目。书后附录有《东京梦华录》历代各种版本的题跋与题记等，也作了较详注释。为便利当代一般读者阅读，对于原文用当代书面语体写出了译文。在标点、注释及译文过程中，本人深感原刊本中的一些难点、疑点不易处理，尽力而为时又难免有不尽如人意之处或者差错，诚请读者批评指正。

王永宽

2010年1月于郑州

# 目 录

梦华录序 —— 19

卷之一 —— 23
 东都外城 —— 23
 旧京城 —— 25
 河道 —— 26
 大内 —— 30
 内诸司 —— 33
 外诸司 —— 34

卷之二 —— 37
 御街 —— 37
 宣德楼前省府宫宇 —— 38
 朱雀门外街巷 —— 40
 州桥夜市 —— 42
 东角楼街巷 —— 44
 潘楼东街巷 —— 46
 酒楼 —— 47
 饮食果子 —— 50

卷之三 —— 54
 马行街北诸医铺 —— 54

大内西右掖门外街巷 _____ 55
　　大内前州桥东街巷 _____ 56
　　相国寺内万姓交易 _____ 58
　　寺东门街巷 _____ 60
　　上清宫 _____ 61
　　马行街铺席 _____ 63
　　般载杂卖 _____ 64
　　都市钱陌 _____ 66
　　雇觅人力 _____ 67
　　防火 _____ 68
　　天晓诸人入市 _____ 69
　　诸色杂卖 _____ 70

卷之四 _____ 73
　　军头司 _____ 73
　　皇太子纳妃 _____ 75
　　公主出降 _____ 75
　　皇后出乘舆 _____ 77
　　杂赁 _____ 78
　　修整杂货及斋僧请道 _____ 79
　　筵会假赁 _____ 80
　　会仙酒楼 _____ 81
　　食店 _____ 82
　　肉行 _____ 84
　　饼店 _____ 85
　　鱼行 _____ 86

卷之五 _____ 87
　　民俗 _____ 87

京瓦伎艺 _____ 89

　　娶妇 _____ 94

　　育子 _____ 99

卷之六 _____ 101

　　正月 _____ 101

　　元旦朝会 _____ 102

　　立春 _____ 105

　　元宵 _____ 106

　　十四日车驾幸五岳观 _____ 110

　　十五日驾诣上清宫 _____ 112

　　十六日 _____ 113

　　收灯都人出城探春 _____ 118

卷之七 _____ 121

　　清明节 _____ 121

　　三月一日开金明池琼林苑 _____ 123

　　驾幸临水殿观争标锡宴 _____ 126

　　驾幸琼林苑 _____ 130

　　驾幸宝津楼宴殿 _____ 131

　　驾登宝津楼诸军呈百戏 _____ 132

　　驾幸射殿射弓 _____ 140

　　池苑内纵人关扑游戏 _____ 140

　　驾回仪卫 _____ 142

卷之八 _____ 145

　　四月八日 _____ 145

　　端午 _____ 146

　　六月六日崔府君生日，二十四日神保观神生日 ____ 147

　　是月巷陌杂卖 _____ 150

  七夕 ……………………………………………… 151
  中元节 …………………………………………… 154
  立秋 ……………………………………………… 156
  秋社 ……………………………………………… 157
  中秋 ……………………………………………… 158
  重阳 ……………………………………………… 159
卷之九 ………………………………………………… 161
  十月一日 ………………………………………… 161
  天宁节 …………………………………………… 162
  宰执亲王宗室百官入内上寿 …………………… 162
  立冬 ……………………………………………… 174
卷之十 ………………………………………………… 175
  冬至 ……………………………………………… 175
  大礼预教车象 …………………………………… 176
  车驾宿大庆殿 …………………………………… 177
  驾行仪卫 ………………………………………… 181
  驾宿太庙奉神主出室 …………………………… 184
  驾诣青城斋官 …………………………………… 185
  驾诣郊坛行礼 …………………………………… 186
  郊毕驾回 ………………………………………… 191
  下赦 ……………………………………………… 192
  驾还择日诣诸官行谢 …………………………… 194
  十二月 …………………………………………… 195
  除夕 ……………………………………………… 197
附录 …………………………………………………… 199
  静嘉堂文库影印元刊本幽兰居士《东京梦华录》
    跋文 ………………………………………… 199

一、赵师侠跋 ———————————————— 199
　　二、黄丕烈跋（二篇）————————————— 200
　　三、影印元刊本《东京梦华录》解题（从日文译）
　　　　———————————————————— 202
赵希弁《昭德先生郡斋读书志》"附志"中《梦华录》
　　题记 ———————————————————— 203
马端临《文献通考》中《东京梦华录》提要 ————— 203
《秘册汇函》本《东京梦华录》跋文 ————————— 204
　　一、沈士龙跋 ———————————————— 204
　　二、胡震亨跋 ———————————————— 205
《津逮秘书》本《东京梦华录》跋文 ————————— 206
《四库全书》所收《东京梦华录》卷前提要 ————— 206
《四库全书总目提要》卷七十"史部二十六·地理类三"
　　中《东京梦华录》提要 ————————————— 208
李濂《跋〈东京梦华录〉后》 ———————————— 209
钱曾《读书敏求记》中《梦华录》题记 ——————— 210
黄丕烈《荛圃藏书题识》中《东京梦华录》题记 ——— 211
张元济《涵芬楼烬余书录》中《东京梦华录》题记 —— 213
《丛书集成初编》所收《东京梦华录》题记 ————— 215

# 梦华录序

仆从先人①宦游南北,崇宁癸未②到京师,卜居于州西金梁桥西夹道之南。渐次长立,正当辇毂之下。太平日久,人物繁阜。垂髫之童,但习鼓舞;斑白之老,不识干戈。时节相次,各有观赏。灯宵月夕,雪际花时,乞巧登高,教池游苑③,举目则青楼画阁,绣户珠帘。雕车竞驻于天街,宝马争驰于御路,金翠耀目,罗绮飘香。新声巧笑于柳陌花衢,按管调弦于茶坊酒肆。八荒争凑,万国咸通。集四海之珍奇,皆归市易;会寰区之异味,悉在庖厨。花光满路,何限春游;箫鼓喧空,几家夜宴。伎巧则惊人耳目,侈奢则长人精神。瞻天表则元夕教池,拜郊孟享。频观公主下降,皇子纳妃。修造则创建明堂④,冶铸则立成鼎鼐⑤。观妓籍则府曹衙罢,内省宴回;看变化则举子唱名,武人换授。仆数十年烂赏叠游,莫知厌足。一旦兵火,靖康丙午⑥之明年,出京南来,避地江左⑦,情绪牢落,渐入桑榆。暗想当年,节物风流,人情和美,但成怅恨。近与亲戚会面,谈及曩昔,后生往往妄生不然。仆恐浸久,论其风俗者,失于事实,诚为可惜。谨省记编次成集,庶几开卷得睹当时之盛。古人有梦游华胥之国⑧,其乐无涯者,仆今追念,回首怅然,岂非华胥之梦觉哉! 目之曰《梦华录》。然以京师之浩穰,及有未尝经从处,得之于人,不无遗阙。倘遇乡党宿德,补缀周备,不胜幸甚。此录语言鄙俚,不以文饰者,盖欲上下通晓尔,观者幸详焉。绍兴丁卯⑨岁除日,幽兰居士孟元老序。

[注释]

①先人:作者称呼自己已经去世的父亲。②崇宁癸未:即宋徽宗崇宁二年(1103年)。③教池游苑:"池"指汴京城金明池,"苑"指琼林苑。教池,指在金明池进行的禁军操练,游苑,指皇帝到琼林苑游幸。这些活动,见书中卷之七"三月一日开金明池琼林苑"至"池苑内纵人关扑游戏"各节。④明堂:古代帝王宣明政教的地方,凡朝会、祭祀、庆赏、选士、任命等重大朝政活动,都在这里举行。明堂的产生由来已久,相传黄帝时就已建造明堂。郑樵《通志》卷四十二"明堂"一节记云:"黄帝祀上帝于明堂,或谓之合宫。……夏后氏曰世室,商人曰重屋,周人曰明堂,其制度详于《礼经》。"汉至六朝历代都曾建造明堂,规制各有不同。《木兰诗》云"归来见天子,天子坐明堂",反映出北朝时有明堂。唐代武则天时曾在东都洛阳建造明堂,唐玄宗李隆基予以拆毁,后来未再建明堂。北宋时宫殿规制逐渐完备,古代明堂已被宫中的正殿代替。本卷"大内"一节云"左掖门里乃明堂",但这个明堂仅为象征形式的虚设,实际上朝会等活动都在大庆殿进行。这里所说的"明堂"当是指汴京皇城中的大庆殿。参见本卷"大内"一节和卷之十"车驾宿大庆殿"一节。⑤鼎鼐:鼎在古代最初是烹饪之器。相传夏禹收九州之金铸成九鼎,后来九鼎成为传国的重器。鼐是大鼎。这里所谓鼎鼐指宋徽宗时铸造成的九鼎。见卷二"朱雀门外街巷"一节注③。⑥靖康丙午:即宋钦宗靖康元年(1126年)。⑦江左:长江下游以东地区。即今江苏省一带。古代人以东为左,以西为右,故江东称江左,江西称江右。⑧华胥之国:古代寓言中的理想国。《列子·黄帝》篇中记云:"(黄帝)昼寝而梦,游于华胥氏之国……其国无帅长,自然而已;其民无嗜欲,自然而已;不知乐生,不知恶死,故无夭殇;不知亲己,不知疏物,故无爱憎;不知背逆,不知向顺,故无利害。"后世就把梦入华胥之国作为一个典故,称曰"华胥之梦"。⑨"绍兴"句:绍兴丁卯,即宋高宗绍兴十七年(1147年)。这一年的夏历除夕日为十二月二十九日,即

1148年1月22日。

[译文]

　　我小时候跟着在外地做官的父亲周游于南北各地，于徽宗崇宁二年（1103年）到了京都，住在汴京旧城城西金梁桥西边夹道的南侧。我逐渐长大成人，正赶上生活在天子脚下。太平盛世很长时间了，京城里人口密集，物业繁华。垂着童发的小孩儿，只知道玩耍；两鬓花白的老人，没有经历过战争。随着岁月的年节一次次地经过，我得以观赏到各种好景。华灯齐放的良宵，月光皎洁的夜晚，瑞雪飘飞之际，百花盛开之时，或者是七夕的乞巧，或者是重九的登高，或者是金明池的禁军操练，或者是琼林苑的皇上游幸，放眼所见，到处是青楼画阁，绣户珠帘。雕饰华丽的轿车争相停靠在大街旁，名贵矫健的宝马纵情奔驰在御街上，镶金叠翠耀人眼目，罗袖绮裳飘送芳香。新歌的旋律与美人的笑语，回荡在柳荫道上与花街巷口；箫管之音与琴弦之调，弹奏于茶坊雅聚与酒楼盛宴。全国各州郡之人都往京都汇集，世界各国的使者都和宋朝往来。调集了四海的珍品奇货，都到京城的集市上进行贸易；荟萃齐九州的美味佳肴，都在京城的宴席上供人享受。花光铺满道路，不阻止任何百姓乘兴春游；音乐震荡长空，又见有几家豪门正开夜宴。奇技巧术的表演使人耳目一新，奢侈享受的生活使人心情放荡。能够观瞻到皇上天颜的机会，是在元宵节观灯、金明池观射、郊坛祭天的时候。而且还能够多次看到公主出嫁、皇子纳妃的盛大典礼。皇宫的重要建筑成就是创建了大庆殿，重要的冶铸伟绩是制成了九鼎。看京城里的名妓并了解她们的出身，是在开封府放衙之后、内侍省宴罢之时；看朝廷上的新贵并知道他们的官职，是在科举殿试放榜之后、武将被授予新衔之时。我在几十年当中沉醉于观赏盛典，迷恋于游玩胜地，从来没有感到厌倦和满足。不料忽然间战火燃起，宋钦宗靖康元年的第二年，我离开汴京来到了南方，因躲避战乱而住在江左，情绪郁闷而低落，年岁又逐渐进入老年晚景。暗想当年在汴京城里的生活，每逢佳节时的人物风流倜傥，人情和顺畅美，都已化为惆怅和隐恨。最近同亲戚会面的时候，谈到往昔汴京城里的繁华景象，年轻后生们总是妄加非议。我担心时间长久之后，再谈起那时的风俗与景观，更会失去历史的真实，那就太可惜了。因此，我非常慎重地把我的记忆写下来，编成一集，这可能会使今后的人们打开此书就能够想见当年的盛况。古代传说有梦游华胥之国、其乐无涯的典故，我如今追思往事，回忆起来怅然伤怀，这难道不是和华胥之梦刚刚醒来的情形一样吗？因此我把我所撰作的这本书命名为《梦华录》。但是，汴京城毕竟太大太繁华了，对于那些我没有亲身经历的事件或者没有亲自去过的地方，靠听别人讲述来记录，这就难免有遗漏或欠缺。如果遇着故乡的朋友或德高望重的前辈，对此书予以补充使它更加完备，那真是不胜欣慰。这本《梦华录》语言通俗浅显，不刻意进行雕琢与修饰，这只是想使文人学士和普通百姓都能看懂而已，请读者理解这一点。

宋高宗绍兴十七年（1147年），岁在丁卯，大年除夕之日，幽兰居士孟元老序。

# 卷之一

## 东都外城

东都外城①，方圆四十馀里。城壕曰护龙河，阔十馀丈，壕之内外，皆植杨柳，粉墙朱户，禁人往来。城门皆瓮城②三层，屈曲开门，唯南薰门、新郑门、新宋门、封丘门皆直门两重，盖此系四正门，皆留御路故也。新城南壁，其门有三：正南门曰南薰门；城南一边，东南则陈州门，傍有蔡河③水门；西南则戴楼门，傍亦有蔡河水门。蔡河正名惠民河，为通蔡州故也。东城一边，其门有四：东南曰东水门，乃汴河④下流水门也，其门跨河，有铁裹窗门，遇夜如闸垂下水面，两岸各有门，通人行路，出拐子城⑤，夹岸百馀丈；次则曰新宋门；次曰新曹门；又次曰东北水门，乃五丈河⑥之水门也。西城一边，其门有四：从南曰新郑门；次曰西水门，汴河上水门也；次曰万胜门；又次曰固子门；又次曰西北水门，乃金水河水门也。北城一边，其门有四：从东曰陈桥门（乃大辽人使驿路⑦）；次曰封丘门（北郊御路）；

次曰新酸枣门，次曰卫州门（诸门名皆俗呼。其正名如西水门曰利泽，郑门本顺天门，固子门本金耀门）。新城每百步设马面战棚⑧，密置女头⑨，旦暮修整，望之耸然。城里牙道，各植榆柳成荫。每二百步，置一防城库，贮守御之器，有广固兵士二十指挥，每日修造泥饰，专有京城所⑩提总其事。

[注释]

①东都：即汴京城。外城：即五代后周时周世宗所筑的罗城，又称新城，周长四十八里。北宋时沿袭其规模。宋敏求《东京记》下卷为"新城"，专记外城。②瓮城：古代城门外边的月城，作为掩护城门、加强防御之用。宋曾公亮《武经总要》前集卷十二"守城"云："门外筑瓮城，城外凿壕，去大城约三十步。"又云："其城外瓮城，或圆或方，视地形为之。"③蔡河：见本卷"河道"一节注①。④汴河：见本卷"河道"一节注④。⑤拐子城：即瓮城，因其城门为拐弯开门，俗称拐子城。⑥五丈河：见本卷"河道"一节注⑤。⑦大辽：指辽国。辽国使者入城从此门进入。括号中的文字是原本中原有的注文，以下皆同，不再一一指明。⑧马面：城墙上每隔一段距离设置一处向外突出的部分，供守城交战时使用，称为马面或马面战棚。沈括《梦溪笔谈》卷十一记西北赫连城（延州丰林县城）"其城不甚厚，但马面极长且密……敌人至城下，则四面矢石临之，须使敌人不能到城下乃为良法"。又宋陈规《守城录》卷二"守城机要"云："马面，旧制六十步立一座，跳出城外，不减二丈，阔狭随地利不定，两边直觑城脚，其上皆有楼子，所用木植甚多。"⑨女头：城墙上突起的垛子，或称为女垣、箭垛。⑩京城所：管理城墙的禁军机构，皇宫"外诸司"之一。本卷"外诸司"一节中为"京城守具所"，大概是"京都城墙防务维修器械管理所"，简称京城所。

[译文]

汴京的外城，周长四十余里。城壕名叫护龙河，宽十余丈。城壕的内外两岸，都栽种有杨柳树，粉白墙，红门楼，禁止行人往来。城门都建有瓮城三层，拐弯开门，唯有南薰门、新郑门、新宋门、封丘门都是直门两重，因为这是四道正门，都预留有皇帝出行的御道的缘故。外城的南城墙，有三座门：正南门叫南薰门；东南方的那座门叫陈州门，旁边有蔡河水门；西南方的那座门叫戴楼门，旁边也有蔡河水门。蔡河的正名叫惠民河，因为南通蔡州，故名蔡河。东城墙有四座门：东南方的那座叫东水门，是汴河往下游出城的水门，这座水门跨河有一道铁裹的窗门，每逢夜间就像闸一样垂下来接着水面，蔡河的两岸各有门，通人行道，一直出拐子城，夹岸有百余丈远；第二座门叫新宋门；依次叫新曹门；再往北叫东北水门，这是五丈河出城的水门。西城墙有四座门：从南数第一座叫新郑门；依次往北第二座叫西水门，这是汴河入城的水门；依次叫万胜门；又依次叫固子门；再依次叫西北水门，这是金水河入城的水门。北城墙有四座门：从东数第一座叫陈桥门（这是辽国的使者进城时必经的驿路）；依次叫封丘门（这是皇帝出行往北郊的御路）；又依次叫新酸枣门，再依次叫卫州门（这些城门的名称都是民众世俗的称呼，它们的正名如西水门叫利泽，郑门本来叫顺天门，固子门本来叫金耀门）。新城的城墙每隔百步设置有马面战棚，城墙上密置城垛子，每天早晚都有人进行修整，远远望去，整齐肃然。城墙里侧的巷道，各栽种有榆树和柳树，绿叶成荫。每隔二百步设置一处防城库，贮备着守城的器械和用品，分派有广固兵士二十名指挥，每天对城墙进行维修泥饰，并专设有京城守具所负责有关事务工作。

## 旧京城

旧京城[①]方圆约二十里许，南壁其门有三：正南曰朱雀门，左曰保康门，右曰新门。东壁其门有三：从南汴河南岸角门子，河北岸曰旧宋门，次曰旧曹门。西壁其门有三：从南曰旧郑门，次汴河北岸角门子，次曰梁门。北壁其门有三：从东曰旧封丘门，次曰景龙门（乃大内城角实篆宫[2]前也），次曰金水门。

[注释]

①旧京城：原本是唐朝时的汴州城，五代后周扩建外城之后把它包在城中间，又叫里城，也叫阙城，周长二十一里。宋敏求《东京记》中卷即为"旧城"，专记此城规模。《宋会要辑稿》"方域一之一"记旧城周长为二十里一百五十五步。②实篆宫：即宝篆宫，原著此处夹注误"宝"为"实"。

[译文]

旧京城（里城）周长约二十里。南城墙有三座门：正南叫朱雀门，左边的叫保康门，右边的叫新门。东城墙有三座门：从南数，汴河南岸的一座小门叫角门子，汴河北岸的一座叫旧宋门；往北依次叫旧曹门。西城墙有三座门：从南数第一座叫旧郑门，依次往北汴河北岸的小门叫角门子，再依次叫梁门。北城墙有三座门：从东数叫旧封丘门，依次叫景龙门（这是在皇宫大内城角的宝篆宫前面），再依次叫金水门。

## 河　道

穿城河道有四。南壁曰蔡河[1]，自陈蔡由西南戴楼门入京城，迂绕自东南陈州门出。河上有桥十一[2]。自陈州门里曰观桥（在五岳观后门），从北，次曰宣泰桥，次曰云骑桥，次曰横桥子（在彭婆婆宅前），次曰高桥，次曰西保康门桥，次曰龙津桥（正对内前），次曰新桥，次曰太平桥（高殿前宅[3]前），次曰粜麦桥，次曰第一座桥，次曰宜男桥，出戴楼门外曰四里桥。中曰汴河[4]，自西京洛口分水入京城，东去至泗州，入淮，运东南之粮。凡东南方物，自此入京城，公私仰给焉。自东水门外七里至西水门外，河上有桥十三。从东水门外七里曰虹桥，其桥无柱，皆以巨木虚架，饰以丹艧，宛如飞虹，其上下土桥亦如之。次曰顺成仓桥，入水门里曰便桥，次曰下土桥，次曰上土桥，投西角子门曰相国寺桥。次曰州桥（正名天汉桥），正对于大内御街，其桥与相国寺桥皆低平不通舟船，唯西河平船可过。其柱皆青石为之，石梁石笋楯栏，近桥两岸，皆石壁，雕镌海马水兽飞云之状。桥下密排石柱，盖车驾御路也。州桥之北岸御路，东西两阙，楼观对耸。桥之西有方浅船二只，头置巨干铁枪数条，岸上有铁索三条，遇夜绞上水面，盖防遗失舟船矣。西去曰浚仪桥，次曰兴国寺桥（亦名马军衙桥），次曰太师府桥（蔡相宅前），次曰金梁桥，次曰西浮桥（旧以船为之桥，今皆用木石造矣），次曰西水门便桥，门外曰横桥。东北曰五丈河⑤，来自济郓，般挽京东路粮斛入京城，自新曹门北入京。河上有桥五：东去曰小横桥，次曰广备桥，次曰蔡市桥，次曰青晖桥、染院桥。西北曰金水河⑥，自京城西南分京、索河筑堤，从汴河上用木槽架过，从西北水门入京城，夹墙遮拥，入大内灌后苑池浦矣。河上有桥三，曰白虎桥、横桥、五王宫桥之类。又曹门小河子桥曰念佛桥，盖内诸司辇官、亲事官之类，军营，皆在曹门，侵晨上直，有瞽者在桥上念经求化，得其名矣。

[注释]

①蔡河：蔡河和以下的汴河、五丈河、金水河这四条流经汴京城中的河，都是人工运河。蔡河之源在郑州西南的大隗山，往东南流经鄢陵、扶沟注于蔡水。北宋初建隆年间，宋太祖发动民夫修渠，引蔡河水从尉氏县境内北流入汴京。《东京梦华录》谓"由西南戴楼门入京城"，其实是从戴楼门东侧的广利水门入城。这往北流的一段蔡河叫西蔡河。从城内拐两个弯穿过之后，从陈州门西侧的普济水门出城，往南流经通许，再注入蔡河。这一段往南流的蔡河叫东蔡河。见李濂《汴京遗迹志》卷七"河渠三·蔡河"。②桥十一：十一

应作十三。③高殿前宅：即高俅宅。高俅官职为殿前都指挥使，简称高殿前。卷之十"车驾宿大庆殿"一节中有"众曰殿前都指挥使高俅"。④汴河：即浚仪渠。源出荥阳市大周山，往东汇合京、索、须、郑四条支流，又称茛荡渠或通济渠。隋炀帝大业年间，修大运河时引来黄河水，通济渠汇入大运河，唐代改名为广济渠。后来屡经变迁，流入汴州之水称为汴河。北宋初太宗淳化年间，汴河曾经决口，泛滥成灾，至道年间进行过一次大规模的疏浚。此后的北宋时期，汴河对于漕运一直发挥着重要作用。后来到明代正德、嘉靖时，汴河已经淤塞难寻，在城内延庆观前有一座小砖桥，桥下有水沟，民众俗称为"臭河儿"，这便是原来汴河的一点遗迹了。见李濂《汴京遗迹志》卷六"河渠二·汴河"。⑤五丈河：唐代武则天时开凿的一条人工运河。引来汴水注入白沟，又接通湛渠，以利于漕运。因其宽五丈，故名为五丈河，即是白沟河的下游一段。北宋时期多次疏浚，后来因黄河泛滥而淤塞。见李濂《汴京遗迹志》卷七"河渠三·五丈河"。⑥金水河：其源出自京水，又名天源。北宋初宋太祖建隆二年（961年），朝廷动员民夫开渠引水，经过中牟到汴京，名为金水河。在城内和五丈河接通。北宋时期曾多次予以疏浚，对于城内用水发挥着重要作用。金元时期已经淤塞不存。见李濂《汴京遗迹志》卷七"河渠三·金水河"。

[译文]

穿过京城的河道有四条。穿过南城墙的是蔡河。从陈州、蔡州方向流过来，由城西南戴楼门旁边的广利水门入城，在城内转了个弯之后从城东南的陈州门旁流出城。河上有桥十三座。从陈州门里数起，第一座桥叫观桥（在五岳观后门）；往北再往东，依次叫宣泰桥，以下是云骑桥，以下是横桥子（在彭婆婆宅前），以下是高桥，以下是西保康门桥，以下是龙津桥（正对皇宫前），以下是新桥，以下是太平桥（殿前都指挥使高俅宅前），以下是粜麦桥，以下是第一座桥，以下是宜男桥；出戴楼门外往南不远叫四里桥。从城中东西穿过的叫汴河，其源头从洛阳东边的洛口分水，东流进入汴京城，再往东流到泗州，汇入淮河，沿此水路运送东南州郡的粮食。东南来的一切物资，都从这条水路进入京城，国家和民众都依靠它供给。从东水门外七里处到西水门外，河上有桥十三座。东水门外七里处的叫虹桥，这座桥没有桥柱，都是用大木料凌空架设，装饰如红船模样，宛如飞虹，其上下土桥也如法建造。往西依次叫顺成仓桥。进入东水门里，首先是便桥，以下是下土桥，以下是上土桥。往西进入内城的角子门，叫相国寺桥。往下叫州桥（正名叫天汉桥），正对着皇宫御街，这座桥和相国寺桥都低而平，不通舟船，只有西河的平船可以通过。州桥的桥柱都用青石砌成，用石梁、石笋结构建成桥栏杆，靠近桥的河两岸，都砌成石壁，雕刻着海马、水兽、飞云等图案。桥下密排石柱，这是皇帝的车驾所经过的御路。州桥的北岸御路，东西两座门楼，楼观相对高耸。州桥的西边有长方形浅船两只，船头置备有几条粗杆的铁枪，岸上有三条铁索，每到夜晚就把船绞上水面，这是为了防备舟船遗失。往西去是浚仪桥，以下是兴国寺桥（也叫马军衙桥），以下是太师府桥（太师蔡京的府门前），以下是金梁桥，以下是西浮桥（原来是用船架设为桥，现在都用木石建造了），以下是西水门便桥，西水门外是横桥。京城东北是五丈河。来自济州、郓城方向的运输京东路的粮食进入京城的船只，都是从新曹门北边的水路进入城内。河上有桥五座：从东数起第一座叫小横桥，以下是广备桥，以下是蔡市桥，以下是青晖桥和染院桥。京城西北是金水河。其源头是从京城的西南方分流京、索两河之水并筑堤，从汴河上用木槽横架引水过来，从京城的西北水门入城内，河两旁筑高墙遮护，河水进入大内后灌入皇宫后苑的池塘中。河上有桥三座，叫白虎桥、横桥、五王宫桥。另外，曹门小河子有座桥叫念佛桥，这是由于皇宫内各部门的辇官、亲事官等官员及守城官兵的军营，都在曹门，他们每天一早上班时，有瞎子在桥上念经请求布施，因而这座桥就被叫做念佛桥。

## 大 内

大内①正门宣德楼列五门，门皆金钉朱漆，壁皆砖石间甃②，镌镂龙凤飞云之状，莫非雕甍画栋，峻桷层榱③，覆以琉璃瓦，曲尺朵楼，朱栏彩槛，下列两阙亭相对，悉用朱红杈子④。入宣德楼正门，乃大庆殿，庭设两楼，如寺院钟楼，上有太史局，保章正⑤测验刻漏，逐时刻执牙牌奏。每遇大礼车驾斋宿及正朝，朝会于此殿。殿外左右横门曰左右长庆门。内城南壁有门三座，系大朝会趋朝路。宣德楼左曰左掖门，右曰右掖门。左掖门里乃明堂，右掖门里西去乃天章、宝文等阁。宫城至北廊约百馀丈，入门东去街北廊乃枢密院，次中书省，次都堂（宰相朝退治事于此），次门下省，次大庆殿。外廊横门北去百馀步，又一横门，每日宰执趋朝，此处下马；馀侍从台谏于第一横门下马，行至文德殿，入第二横门。东廊大庆殿东偏门，西廊中书、门下后省，次修国史院，次南向小角门，正对文德殿（常朝殿也）。殿前东西大街，东出东华门，西出西华门。近里又两门相对，左右嘉肃门也。南去左右银台门。自东华门里皇太子宫入嘉肃门，街南大庆殿后门，东西上阁门，街北宣祐门。南北大街西廊，面东曰凝晖殿，乃通会通门，入禁中矣。殿相对东廊门楼，乃殿中省六尚局御厨。殿上常列禁卫两重，时刻提警，出入甚严。近里皆近侍中贵。殿之外皆知省、御药、幕次、快行、亲从官、辇官、车子院、黄院子、内诸司兵士，祗候宣唤，及宫禁买卖进贡，皆由此入。唯此浩穰诸司，人自卖饮食珍奇之物，市井之间未有也。每遇早晚进膳，自殿中省对凝晖殿，禁卫成列，约栏不得过往。省门上有一人呼喝，谓之"拨食家"。次有紫衣、裹脚子向后曲折幪头者，谓之"院子家"，托一合，用黄绣龙合衣笼罩，左手携一红罗绣手巾，进入于此，约十馀合，继托金瓜合二十馀面进入，非时取唤，谓之"泛索"。宣祐门外，西去紫宸殿（正朔受朝于此）。次曰文德殿（常朝所御），次曰垂拱殿，次曰皇仪殿，次曰集英殿（御宴及试举人于此）。后殿曰崇政殿、保和殿，内书阁曰睿思殿。后门曰拱辰门。东华门外，市井最盛，盖禁中买卖在此，凡饮食、时新花果、鱼虾鳖蟹、鹑兔脯腊、金玉珍玩衣着，无非天下之奇。其品味若数十分，客要一二十味下酒，随索目下便有之。其岁时果瓜、蔬茄新上市，并茄瓠之类，新出每对可直三五十千，诸阁分⑥争以贵价取之。

[注释]

①大内：即皇宫。北宋的皇宫在汴京城内西北部，周长五里。原来是唐代宣武军节度使的治所，五代后梁时在此建为建昌宫，后唐时仍为宣武军治所，后晋时建为大宁宫。北宋初建隆三年（962年），诏令按照洛阳的宫殿规制重新加以修建。②甃（zhòu）：本义是井壁。《易·井卦》有"井甃无咎"句，《周易集解》引前人注云："以砖垒井曰甃。"后来引申其义，宫门内壁或湖池的岸边用砖雕砌镶也称为甃。③甍（méng）：古建筑中指梁栋或屋脊，这里泛指梁栋。桷（jué）、榱（cuī），俱指椽子。雕甍画栋，峻桷层榱，意思是皇宫的建筑梁栋雕绘华丽，椽檐层叠高耸，十分气派的景象。④杈子：用木条交叉固定，作为支架，另一木横架于上，排在地上表示禁约，摆在街上相当于隔离墩。魏晋以后称之为行马，到北宋称为叉子，或作杈子。宋程大昌《演繁露》卷一云："晋魏以后官至贵品，其门得施行马。行马者，一木横中，两木互穿以成，四角施之于门，以为约禁也。周礼为之陛梐，今官府前叉子是也。"⑤保章正：太史局里的官职名称。《宋史》卷一六四"职官四"记云："太史局掌测验天文，考定历法。"其官名有令、有正、有丞、有直长、有灵台郎、有保章正等。⑥诸阁分：见下节注②。

[译文]

皇宫的正门宣德楼排列有五座门,都是金钉朱漆,宫墙都是用砖和石料砌镶而成,雕刻着龙、凤和飞云的图案,无非是雕梁画栋,高檐层椽,上面覆盖着琉璃瓦,曲尺形的连墙和突起的楼阁,大红的栏杆和彩绘的门槛,下面并列着两座门楼,相对而立,门前都设置有表示隔离标记的朱红杈子。进入宣德楼的正门,就是大庆殿,庭院设有两座楼,就像寺院里的钟楼似的,上面设有太史局,局里名为保章正的官员负责检查刻漏,按时手执牙牌向宫中报告时间。每逢盛大典礼的日子、皇上车驾斋戒住宿以及每月的初一,在此殿举行朝会。殿外左右各有一横门,分别叫做左长庆门和右长庆门。内城的南城墙有三座门,都是大朝会那天朝臣上朝时所经之路。宣德楼左边的叫左掖门,右边的叫右掖门。左掖门里边是明堂,右掖门往里走西侧就是天章阁、宝文阁等。从宫城到北廊约百余丈,进入右长庆门往东去的北廊是枢密院,依次是中书省,依次是都堂(宰相退朝之后在这里办公),依次是门下省,再往里就是大庆殿。外廊横门往北去百余步,又有一道横门,每天宰相上朝时在这里下马;其余侍从、台谏人等在第一道横门前下马,步行至文德殿,进入第二道横门。东廊通往大庆殿东偏门,西廊是中书后省、门下后省,往北依次是修国史院,依次朝南是小角门,正对着文德殿(通常举行朝会的正殿)。文德殿前面是东西大街,往东出东华门,往西出西华门。将近一里处又有两座门相对称,这是左嘉肃门和右嘉肃门。南边是左银台门和右银台门。从东华门往里的皇太子宫进入嘉肃门,街南边是大庆殿后门,两旁是东上阁门、西上阁门,街北是宣祐门。进入宣祐门,南北大街的西廊,门面朝东的是凝晖殿,从这里通过会通门,就进入禁中了。凝晖殿相对的东廊门楼,里边就是殿中省六尚局御厨。凝晖殿上通常排列着两重禁卫,时刻提防警戒,对出入人员的检查非常严格。能够接近里边的人都是近侍与中贵人等。凝晖殿的外面都是知省、御药、幕次、快行、亲从官、辇官、车子院、黄院子、内诸司兵士等杂役人员，随时侍候，听从呼唤，以及宫中负责采买、进贡等职事人员，都从这里进入。只有皇家这样庞大的供奉部门，人们才把各种珍贵、稀奇的食物卖给他们，一般集市上是买不到的。每逢早晚皇帝进膳的时候，从殿中省到凝晖殿，禁卫排列成行，禁约着外面的行人不得越过警戒线。殿中省大门前有一人呼喊发令，称为"拨食家"。其次有身穿紫衣、裹脚子及头巾向后曲折成幞头者，称为"院子家"，他的手中托着一个食盒，用一块黄色绣有龙图案的整块食巾笼罩着，左手拿着一方红罗绣花手巾，进入到这里，大约十多个这样的食盒，接着就是托举着金瓜等二十多面仪仗进入里面，不定时地呼唤索取，这叫做"泛索"。宣祐门外，往西是紫宸殿（每月初一皇帝在这里接受群臣朝贺）。依次是文德殿（皇帝平常在这里举行朝会），依次是垂拱殿，依次是皇仪殿，依次是集英殿（皇帝举行御宴及面试举人就在这里）。后面的几座大殿是崇政殿、保和殿，还有内书阁名叫睿思殿也在这里。皇宫的后门叫拱辰门。东华门外，集市贸易最为繁盛，这是因为皇宫中的采买都在这里，凡是饮食所需，以及时新花果、鱼虾鳖蟹、鹌鹑兔肉、干肉咸肉，还有金银玉器、珍宝古玩和各种服装等，大都是天下珍奇贵重之物。这些东西的品种如果有几十种，而买主只要其中的一二十味做下酒菜，那么当时眼下就可以随时买到。其中的时新瓜果和蔬菜上市，还有茄子、瓠子之类，新鲜的每对可值三五十千钱，内宫为皇家饮食服务的各部门争先花高价购买。

## 内诸司

内诸司[①]皆在禁中，如学士院、皇城司、四方馆、客省、东西上閤门、通进司、内弓剑枪甲军器等库、翰林司（茶酒局也）、内侍省、入内内侍省、内藏库、奉宸库、景福殿库、延福宫、殿中省、六尚局（尚药、尚食、尚辇、尚酝、尚舍、尚衣）、诸阁分②、内香药库、后苑作、翰林书艺局、医官局、天章等阁、明堂、颁朔布政府。

[注释]

①内诸司：皇宫内为皇家日常生活服务的各部门的总称。②诸阁分：皇宫中为皇帝的饮食服务的部门和人员，或称为"十阁分"，"十"为约数，言其部门之多，并非确指为十个。宋代宫中后妃和皇帝子女的住处，都称为"阁"。邵博《邵氏闻见后录》卷一云："仁宗皇帝内宴，十阁分各进馔。"

[译文]

皇宫内为皇家的日常生活服务的各部门都在后宫中，如学士院、皇城司、四方馆、客省、东上阁门、西上阁门、通进司、内弓剑枪甲军器等库、翰林司（即茶酒局）、内侍省、入内内侍省、内藏库、奉宸库、景福殿库、延福宫、殿中省、六尚局（包括尚药局、尚食局、尚辇局、尚酝局、尚舍局、尚衣局）、诸阁分、内香药库、后苑作、翰林书艺局、医官局、天章等阁、明堂、颁朔布政府等。

## 外诸司

外诸司①：左右金吾街仗司、法酒库、内酒坊、牛羊司、乳酪院、仪鸾司（帐设局也）、车辂院、供奉库、杂物库、杂卖务、东西作坊、万全（造军器所）、修内司、文思院上下界、绫锦院、文绣院、军器所、上下竹木务、箔场、车营致远务、騾务、驼坊、象院、作坊物料库、东西窑务内外物库、油醋库、京城守具所、鞍辔库，养马曰左右骐骥院、天驷十监、河南北十炭场②、四熟药局、内外柴炭库、军头引见司、架子营（楼店务、店宅务)、榷货务、都茶场、大宗正司，左藏大观、元丰、宣和等库，编估局、打套所。诸米麦等，自州东虹桥元丰仓、顺成仓，东水门里广济、里河折中、外河折中，富国、广盈、万盈、永丰、济远等仓，陈州门里麦仓，子州北夷门山、五丈河诸仓，约共有五十馀所。日有支纳下卸，即有下卸指挥兵士，支遣即有袋家，每人肩两石布袋。遇有支遣，仓前成市。近新城有草场二十馀所。每遇冬月，诸乡纳粟秆草牛车，阗塞道路，车尾相衔，数千万辆不绝。场内堆积如山。诸军打请营在州北，即往州南仓，不许雇人般担③，并要亲自肩来，祖宗之法也。

[注释]

①外诸司：皇宫内为皇帝的朝廷政务、外出巡游及相关活动服务的各部门的总称。②十炭场：即石炭场。《宋史》卷一六五"职官五"记云："石炭场，掌受纳出卖石炭。"《东京梦华录》将"石"误作"十"。③般担：即搬担。般，"搬"的通假字。

[译文]

皇宫内为皇帝的朝廷政务、外出巡游及相关活动服务的各部门有：左右金吾街仗司、法酒库、内酒坊、牛羊司、乳酪院、仪鸾司(即帐设局)、车辂院、供奉库、杂物库、杂卖务、东西作坊、万全(造军器所)、修内司、文思院上下界、绫锦院、文绣院、军器所、上下竹木务、箔场、车营致远务、骡务、驼坊、象院、作坊物料库、东西窑务内外物库、油醋库、京城守具所、鞍辔库，负责养马的部门叫左骐骥院、右骐骥院、天驷十监，还有河南北石炭场、四熟药局、内外柴炭库、军头引见司、架子营(包括楼店务、店宅务)、榷货务、都茶场、大宗正司，左藏大观、元丰、宣和等仓库，以及编估局、打套所。负责各种粮米小麦供给的仓库有：从京城以东的虹桥元丰仓、顺成仓，到东水门里的广济仓、里河折中仓、外河折中仓，富国、广盈、万盈、永丰、济远等仓，还有陈州门里的麦仓，子州北的夷门山、五丈河等仓，共有五十余所。每天都有支取粮食的车辆在这里装运，这时就有负责装卸的官员指挥兵士装卸，装卸粮食的工人称为"袋家"，每人可肩扛两袋粮食。每逢装卸粮食的时候，仓库门前就像集市一样。外城附近有草场二十多所。每逢冬天来临，各乡输送草料的牛车塞满道路，车辆的首尾相连衔接，多达数千万辆连绵不断，场内草料堆积如山。京城护卫军的军营在城北，需要往京城南边的草料场取草料的，不许雇用民夫搬运，兵士们必须自己搬运，这是宋朝前代祖宗传下来的规矩。

# 卷之二

## 御 街

坊巷御街①，自宣德楼一直南去，约阔二百馀步，两边乃御廊②。旧许市人买卖于其间，自政和间官司禁止，各安立黑漆杈子③，路心又安朱漆杈子两行。中心御道，不得人马行往，行人皆在廊下朱杈子之外。杈子里有砖石甃砌御沟水两道，宣和间尽植莲荷，近岸植桃、李、梨、杏，杂花相间，春夏之间，望之如绣。

[注释]

①御街：京城里的一条主要街道，北起宫城的宣德门，南到外城的南薰门。这是皇帝出行的必经通道，故称御街。②御廊：御街两旁的店铺，直接为皇家服务。临街店门前面都有走廊，称为御廊。③杈子：见卷之一"大内"一节注④。

[译文]

京城里的主要大街是御街，从皇宫正门的宣德楼一直往南去，约宽二百余步，两边是御廊。以前准许商贩在其中做买卖，从徽宗政和年间起官府下令禁止，廊前都摆放着黑漆杈子，御街当中又摆放两排红漆杈子。街道中心是御道，不准行人车马来往，行人都在靠近廊下的红杈子之外经过。杈子里边，有砖石砌镶的两条御沟流水，宣和年间都种植着莲荷，御沟近岸种植着桃、李、梨、杏等果树，各种杂花互相错杂，春夏之间，远远望去如锦绣一般。

## 宣德楼前省府宫宇

宣德楼前，左南廊对左掖门，为明堂颁朔布政府、秘书省，右廊南对右掖门。近东则两府八位①，西则尚书省。御街大内前南去，左则景灵东宫，右则西宫。近南大晟府，次曰太常寺。州桥曲转大街，面南曰左藏库，近东郑太宰宅、青鱼市内行。景灵东宫南门大街以东，南则唐家金银铺、温州漆器什物铺、大相国寺，直至十三间楼②、旧宋门。自大内西廊南去，即景灵西宫，南曲对即报慈寺街、都进奏院、百钟圆药铺③，至浚仪桥大街。西宫南皆御廊杈子，至州桥投西大街，乃果子行。街北都亭驿（大辽人使驿也），相对梁家珠子铺，馀皆卖时行纸画花果铺席。至浚仪桥之西，即开封府。御街一直南去，过州桥，两边皆居民。街东车家炭、张家酒店，次则王楼山洞梅花包子、李家香铺、曹婆婆肉饼、李四分茶。至朱雀门街西过桥，即投西大街，谓之曲院街。街南遇仙正店，前有楼子，后有台，都人谓之"台上"。此一店最是酒店上户，银瓶酒七十二文一角，羊羔酒八十一文一角。街北薛家分茶、羊饭、熟羊肉铺。向西去皆妓馆舍，都人谓之"院街"。御廊西即鹿家包子，馀皆羹店、分茶、酒店、香药铺、居民。

[注释]

①两府八位：宰相府的办事机构，分东西两府，每府设四处办公位置。

叶梦得《石林诗话》卷中记云："京师职事官，旧皆无公廨，虽宰相执政亦僦舍而居。每遇出省，或有中批外奏急速文字，则省吏遍持于私第呈押，既稽缓又多漏泄。元丰初，始建东西府于右掖门之前，每府相对为四位，俗谓之八位。"②十三间楼：五代后周时大将军周景威的宅第。王辟之《渑水燕谈录》卷九记云："周显德中，许京城民居起楼阁。大将军周景威，先于宋门内临汴水建楼十三间，世宗嘉之，以手诏奖谕景威，虽奉诏实所以规利也。今所谓十三间楼子者是也。"③百钟圆药铺："钟"应为"种"。

[译文]

宣德楼前，左边南廊对着左掖门，是明堂颁朔布政府、秘书省；右廊朝南对着右掖门。近处往东是宰相府的办事机构，俗称为"两府八位"，西边是尚书省。顺着御街出大内往南去，左边是景灵东宫，右边是景灵西宫。附近往南是大晟府，依次是太常寺。州桥拐弯转东大街，面朝南的是左藏库，附近往东是郑太宰宅、青鱼市内行。景灵东宫南门大街以东，南边是唐家金银铺、温州漆器什物铺、大相国寺，直到十三间楼、旧宋门。从大内前边的西廊往南去，即是景灵西宫，南边拐弯对着报慈寺街、都进奏院、百种圆药铺，直到浚仪桥大街。西宫南边都是御廊权子，到州桥往西大街，是果子行。街北边是都亭驿（即辽国使者所居住的驿馆），对面是梁家珠子铺，其余都是出售当时流行的纸画花果的店铺。到浚仪桥的西边，就是开封府。从御街一直往南去，过了州桥，两边都是居民。街东是车家炭、张家酒店，依次是王楼山洞梅花包子、李家香铺、曹婆婆肉饼、李四分茶。到朱雀门街西过桥，就往西大街，这叫做曲院街。街南是遇仙正店，店前有楼子，后边有台，京城的人都叫它"台上"。这家饭店是京城中最上等的酒店，银瓶酒七十二文钱一杯，羊羔酒八十一文钱一杯。街北是薛家分茶、羊饭、熟羊肉铺。往西去都是妓院，京城的人都叫它"院街"。御廊往西是鹿家包子铺，其余都是羹店、分茶、酒店、香药铺及居民。

## 朱雀门外街巷

出朱雀门，东壁亦人家。东去大街麦秸巷、状元楼，馀皆妓馆，至保康门街。其御街东朱雀门外，西通新门瓦子，以南杀猪巷亦妓馆，以南东西两教坊，馀皆居民，或茶坊。街心市井，至夜尤盛。过龙津桥南去，路心又设朱漆杈子，如内前。东刘廉访宅，以南太学、国子监。过太学又有横街，乃太学南门。街南熟药惠民南局。以南五里许皆民居。又东去横大街，乃五岳观后门。大街约半里许，乃看街亭，寻常车驾行幸，登亭观马骑于此。东至贡院、什物库、礼部贡院①、车营务、草场。街南葆真宫，直至蔡河云骑桥。御街至南薰门里，街西五岳观，最为雄壮。自西门东去观桥、宣泰桥，柳阴牙道，约五里许，内有中太一宫②、佑神观。街南明丽殿、奉灵园、九成宫，内安顿九鼎③。近东即迎祥池④，夹岸垂杨，菰蒲莲荷，凫雁游泳其间，桥亭台榭，棋布相峙，唯每岁清明日，放万姓烧香游观一日。龙津桥南西壁邓枢密宅，以南武学巷内曲子张宅、武成王庙。以南张家油饼、明节皇后宅。西去大街曰大巷口，又西曰清风楼酒店，都人夏月多乘凉于此。以西老鸦巷口军器所，直接第一座桥。自大巷口南去，延真观延接四方道民于此。以南西去小巷口三学院，西去直抵宜男桥小巷，南去即南薰门。其门寻常士庶殡葬车舆，皆不得经由此门而出，谓正与大内相对。唯民间所宰猪，须从此入京。每日至晚，每群万数，止十数人驱逐，无有乱行者。

[注释]

①礼部贡院：礼部举行考试的贡院。"东至贡院"的贡院，是开封府举

行州试的贡院。②中太一宫：供奉太一神的道教活动场所之一，此外还有东太一宫和西太一宫。沈括《梦溪笔谈》卷三云："十神太一：一曰太一，次曰五福太一，三曰天一太一，四曰地一太一，五曰君基太一，六曰臣基太一，七曰民基太一，八曰大游太一，九曰九气太一，十曰十神太一。唯太一最尊，更无别名。……京师东西太一宫，正殿祠五福，而太一乃在廊庑，甚为失序。熙宁中，初营中太一宫，下太史考定神位。"③九鼎：古代象征国家政权的传国之宝。大禹时曾铸造九鼎，以象征九州。成汤曾迁九鼎于商邑，周武王又迁九鼎于洛邑。秦始皇灭周，迁九鼎于咸阳。这里的九鼎，是北宋徽宗崇宁年间铸造的九鼎。李濂《汴京遗迹志》卷八"九成宫"云：崇宁元年（1102年），方士魏汉津请造九鼎。四年（1105年）三月，九鼎造成，诏令于太一宫之南建大殿，名曰九成宫，将九鼎安放其间。中央曰帝鼎，北方曰宝鼎，东方曰牡鼎，东北方曰苍鼎，东南曰冈鼎，南方曰彤鼎，西南曰阜鼎，西方曰晶鼎，西北曰魁鼎。靖康二年（1127年），金兵攻占汴京，掠去九鼎迁于北方，此后北宋九鼎下落不明。④迎祥池：即凝祥池。阮阅《诗话总龟》卷二十七云："京师芡实最盛于会灵观之凝祥池，故文忠诗曰：'凝祥池锁会灵园，仆射荒村安可比？'"

[译文]

出了朱雀门，东边城墙外边都是民居。往东去一条大街，有麦秸巷、状元楼，其余都是妓馆，直到保康门街。其御街东朱雀门外，往西通新门瓦子，南边是杀猪巷，也有妓馆，往南是东西两教坊，其余都是民居或茶坊。街当中是集市，到夜间特别兴盛。过了龙津桥往南去，御街的大道中间又设有朱红漆杈子，同大内前边的杈子一样。东边是刘廉访宅，往南是太学、国子监。过了太学，又有一条横街，这是太学南门。街南边是熟药惠民南局。往南大约五里左右，都是民居。又往东去有一条横向大街，直到五岳观后门。御街往南约半里左右，是看街亭，平常皇帝的车驾出行时，登上看街亭可以在这里观看皇家马队。往东到开封府贡院、什物库、礼部贡院、车营务、草场。街南边是葆真宫，直到蔡河上的云骑桥。御街往南到南薰门里，街西是五岳观，最为雄壮。从西门往东到观桥、宣泰桥，一路都是绿柳成荫，砖镶花边的人行道，大约长五里左右，里边有中太一宫、佑神观。街南边是明丽殿、奉灵园、九成宫，九成宫里安放着徽宗崇宁年间铸造的九鼎。附近往东就是迎祥池，池的岸边栽有垂杨柳树，池水中种植着菰蒲莲荷，有野鸭子和大雁在其间游泳嬉戏，还有桥、亭、台、榭，或相连或相对地分布着，只是在每年的清明节那一天才准许百姓到这里烧香游观。龙津桥南西边的围墙是邓枢密府宅，往南是武学巷内的曲子张宅、武成王庙。再往南是张家油饼、明节皇后的府宅。往西去的一条大街，名叫大巷口。又往西是清风楼酒店，京城里的人们夏季暑天大都到这里乘凉。再往西是老鸦巷口军器所，直接连着蔡河上的第一座桥。从大巷口往南去是延真观，在这里接纳来自全国四方的信道民众。往南再往西是小巷口三学院，往西去可直达宜男桥小巷，往南去就是南薰门。这座门，普通的官员及百姓人家死了人出城安葬的车辆和轿子，都不能经过此门出城，据说是因为此门和皇宫大内遥遥相对。只是民间送往城中宰杀的生猪，必须从这座门进入京城。每天傍晚，每次进城的生猪一群多达万头，只有十几个人驱赶着，没有乱跑乱窜的现象。

## 州桥夜市

出朱雀门，直至龙津桥。自州桥南去，当街水饭、熬肉、干脯。王楼[①]前，獾儿、野狐、肉脯、鸡，梅家鹿家鹅鸭鸡兔、肚肺鳝鱼、包子鸡皮、腰肾鸡碎[②]，每个不过十五文，曹家从食。至朱雀门，旋煎羊白肠、鲊脯、炸冻鱼头、姜豉、䭔子、抹脏、红丝、批切羊头、辣脚子姜、辣萝卜。夏月，麻腐、鸡皮麻饮、细粉素签、沙糖冰雪冷元子③、水晶皂儿、生淹水木瓜、药木瓜、鸡头穰、沙糖绿豆甘草冰雪凉水、荔枝膏、广芥瓜儿、咸菜、杏片、梅子姜、莴苣、笋、芥、辣瓜旋儿、细料馉饳儿、香糖果子、间道糖荔枝、越梅、鋋刀紫苏膏、金丝党梅、香枨元④，皆用梅红匣儿盛贮。冬月，盘兔、旋炙猪皮肉、野鸭肉、滴酥水晶鲙、煎夹子、猪脏之类，直至龙津桥须脑子肉止，谓之"杂嚼"，直至三更。

[注释]

①王楼：原本作"玉楼"，《说郛》本的《东京梦华录》作"王楼"为是。②鸡碎：应是"杂碎"。鸡的繁体字"雞"与杂的繁体字"雜"形似而误。③元子：应是丸子，古本因避宋钦宗赵桓之讳而将"丸"作"元"。④枨元：即是橙元，枨，水果名，即橙。

[译文]

顺御街往南出朱雀门，直到龙津桥。从州桥往南去，当街有卖水饭、熬肉、干脯等吃食的。王楼前，有卖獾儿、野狐、肉脯、鸡等肉食的，有梅家鹿家鹅鸭鸡兔、肚肺鳝鱼、包子鸡皮、腰肾杂碎，每个不过十五文，还有曹家从食。到朱雀门，卖的有旋煎羊白肠、鲊脯、炸冻鱼头、姜豉、剿子、抹脏、红丝、批切羊头、辣脚子姜、辣萝卜。夏天，卖的有麻腐、鸡皮麻饮、细粉素签、沙糖冰雪冷丸子、水晶皂儿、生淹水木瓜、药木瓜、鸡头穰、沙糖绿豆甘草冰雪凉水、荔枝膏、广芥瓜儿、咸菜、杏片、梅子姜、莴苣、笋、芥、辣瓜旋儿、细料馉饳儿、香糖果子、间道糖荔枝、越梅、鋋刀紫苏膏、金丝党梅、香橙元，都用梅红匣儿盛装着。冬天，卖的有盘兔、旋炙猪皮肉、野鸭肉、滴酥水晶鲙、煎夹子、猪脏之类，直到龙津桥卖须脑子肉的地方为止，这些叫做"杂嚼"，每天的买卖直做到半夜三更的时候。

## 东角楼街巷

　　自宣德东去，东角楼乃皇城东南角也。十字街南去，姜行。高头街北去，从纱行至东华门街、晨晖门、宝箓宫，直至旧酸枣门，最是铺席要闹，宣和间展夹城牙道矣。东去乃潘楼街，街南曰鹰店，只下贩鹰鹘客，馀皆真珠匹帛，香药铺席。南通一巷，谓之"界身"，并是金银彩帛交易之所。屋宇雄壮，门面广阔，望之森然。每一交易，动即千万，骇人闻见。以东街北曰潘楼酒店。其下每日自五更市合，买卖衣物书画，珍玩犀玉；至平明，羊头肚肺、赤白腰子、奶房、肚胘、鹑兔鸠鸽野味、螃蟹、蛤蜊之类；讫，方有诸手作人上市，买卖零碎作料。饭后，饮食上市，如酥蜜食、枣䭅、澄砂团子、香糖果子、蜜煎雕花之类。向晚，卖何娄①头面、冠梳、领抹②、珍玩、动使之类。东去则徐家瓠羹店。街南桑家瓦子③，近北则中瓦，次里瓦。其中大小勾栏④五十馀座。内中瓦子莲花棚、牡丹棚。里瓦子夜叉棚、象棚最大，可容数千人。自丁先现⑤、王团子、张七圣辈，后来可有人于此作场。瓦中多有货药、卖卦、喝故衣、探搏、饮食、剃剪纸⑤画、令曲之类。终日居此，不觉抵暮。

[注释]

①何娄：词义不详，疑有误字。②领抹：原本作"领袜"，应是"领抹"之误。"抹"，紧贴之意，"领抹"，即是贴领巾。③瓦子：又叫瓦市或瓦舍，是宋代京城闹市里的一种综合性娱乐消费场所，其中有妓乐歌舞、杂技表演以及吃食、茶饮、杂货等买卖。宋吴自牧《梦梁录》卷十九云："瓦舍者，谓其来时瓦合，去时瓦解之义，易聚易散也。"④勾栏：又叫勾阑、构栏，是宋元时期表演各种百戏技艺的戏棚或剧场。其表演具有商业性质，是集合艺人向民

众卖艺的场所。⑤丁先现：北宋后期宫中教坊司的乐师，老年离开内宫在街市间卖艺谋生。耐得翁《都城纪胜》，邵伯温《邵氏闻见录》前录卷三，彭乘《续墨客挥犀》卷五，叶梦得《石林避暑录》卷一等宋人笔记中都记载有他的轶事。王团子、张七圣也是当时在闹市瓦舍谋生的艺人。⑥剃剪纸：一种剪纸手工艺术。艺人当街为人剪出头像及花样图案等，以此挣钱谋生。

[译文]

从皇宫正门的宣德门往东到东角楼，这是皇城的东南角。从这里的十字街往南去是姜行。从高头街往北去，从纱行到东华门街、晨晖门、宝箓宫，直到旧酸枣门，这一带商铺密集，最为繁华热闹，宣和年间把这里靠近皇城的道路都拓宽了。往东去是潘楼街，街南是鹰店，只接纳贩鹰的客商，其余都是出售珠宝、布匹、香料、药品的商铺。往南通的一条巷，叫做"界身"，全是金银彩帛交易的地方。这里屋宇雄壮，门面广阔，望去幽森莫测。每一笔交易，数额之大出手就是成千上万，骇人听闻。东边的街北叫潘楼酒店。从这里往里，每天从五更时就上市了，买卖衣服、物品、书画、珍宝、古玩、犀角、玉器之类；至天亮时，就有卖羊头、肚肺、赤白腰子、奶房、肚胘、鹑兔、鸠鸽野味、螃蟹、蛤蜊之类；完了之后，才有各种具有特色技艺的制作吃食的商贩上市，买卖零碎的现制食品。饭后，供正餐的饮食上市，如酥蜜食、枣锢、澄砂团子、香糖果子、蜜煎雕花之类。到傍晚，卖的是供梳妆用的何娄头面、帽子、梳子、领口抹额、珍宝古玩、精巧玩具之类。往东去就是徐家瓠羹店。街南是桑家瓦子，附近的北侧是中瓦，再往里边是里瓦。其中有大小戏园子五十多座。里边的中瓦子，有莲花棚、牡丹棚。里瓦子的夜叉棚、象棚最大，可容纳几千人。自从丁先现、王团子、张七圣这些艺人在这里表演，后来又有人在此作场。瓦子里还多有卖药、卖卦、卖旧衣服、耍把戏、卖吃食、剃剪纸画、唱流行小曲之类。终日在这里逗留消费，不知不觉就到黄昏时候了。

## 潘楼东街巷

潘楼东去十字街，谓之土市子，又谓之竹竿市。又东十字大街，曰从行裹角，茶坊每五更点灯，博易买卖衣服、图画、花环、领抹之类，至晓即散，谓之"鬼市子"。以东街北赵十万宅，街南中山正店、东榆林巷、西榆林巷、北郑皇后宅。东曲首向北墙畔单将军庙，乃单雄信墓①也，上有枣树，世传乃枣槊②发芽生长成树，又谓之枣家子巷。又投东则旧曹门，街北山子茶坊，内有仙洞仙桥，仕女往往夜游，吃茶于彼。又李生菜小儿药铺、仇防御药铺。出旧曹门，朱家桥瓦子。下桥南斜街、北斜街，内有泰山庙，两街有妓馆。桥头人烟市井，不下州南。以东牛行街、下马刘家药铺、看牛楼酒店，亦有妓馆，一直抵新城。自土市子南去，铁屑楼酒店、皇建院街。得胜桥郑家油饼店，动二十馀炉。直南抵太庙街、高阳正店，夜市尤盛。土市北去乃马行街也，人烟浩闹。先至十字街，曰鹌儿市③，向东曰东鸡儿巷，西向曰西鸡儿巷，皆妓馆所居。近北街曰杨楼街，东曰庄楼，今改作和乐楼，楼下乃卖马市也。近北曰任店，今改作欣乐楼，对门马铛家羹店。

[注释]

①单雄信：隋末济阴人，曾为李密部将，后降于王世充，唐平定东都，将他擒获，斩于洛阳。其墓在汴京城中。②枣槊：即单雄信使用的兵器长槊，枣木柄，称为枣槊。单雄信勇武过人，能在马上使槊，军中号称"飞将"。③鹌儿市：即鹌儿市。《说郛》本的《东京梦华录》"鹌"字作"鹌"为是。

[译文]

从潘楼街往东去的那条十字街，叫做土市子，又叫做竹竿市。

再往东的那条十字大街，叫做从行裹角，这里的茶坊每天早上五更时就点亮了灯，开始做生意，如买卖服装、图画、花环、领抹之类，到天亮就散场了，因此称之为"鬼市子"。往东的街北是赵十万宅，街南是中山正店、东榆林巷、西榆林巷，北边是郑皇后宅。东边拐弯往北的围墙旁边有单将军庙，就是单雄信的墓地，墓上有枣树，世人传说这是单雄信使用的枣木槊发芽生长而成的树，所以这里又叫做枣冢子巷。再往东，就是旧曹门，街北是山子茶坊，里面有仙洞、仙桥，城里的仕女往往在夜间到此游玩，在他们这里吃茶。又有李生菜小儿药铺、仇防御药铺。出了旧曹门往东，是朱家桥瓦子。下桥后就到了南斜街、北斜街，里面有泰山庙，这两条街上都有妓院。桥头人烟稠密，市井繁华，不次于城南。往东是牛行街、下马刘家药铺、看牛楼酒店，这里也有妓院，一直通到新曹门城墙边。从土市子往南去，是铁屑楼酒店、皇建院街。得胜桥的郑家油饼店，通常是二十多座烤炉。一直往南抵达太庙街、高阳正店，这里的夜市特别兴盛。从土市子往北去，就是马行街，这里人烟密集，更为喧闹。先经过的十字街，叫鹁儿市，往东叫东鸡儿巷，往西叫西鸡儿巷，都是妓院集中区。附近的北街叫杨楼街，往东叫庄楼，如今改称为和乐楼，楼下就是卖马市。附近往北叫任店，如今改称为欣乐楼，对门是马铛家羹店。

## 酒　楼

凡京师酒店，门首皆缚彩楼欢门。唯任店入其门，一直主廊约百馀步，南北天井两廊皆小阁子①。向晚灯烛荧煌，上下相照，浓妆妓女数百，聚于主廊檐面②上，以待酒客呼唤，望之宛若神仙。北去杨楼，以北穿马行街，东西两巷，谓之大小货行，皆工作伎巧所居。小货行通鸡儿巷妓馆，大货行通笺纸店、白矾楼③，后改为丰乐楼，宣和间，更修三层相高，五楼相向，各有飞桥栏槛，明暗相通，珠帘绣额，灯烛晃耀。初开数日，每先到者赏金旗，过一两夜则已。元夜，则每一瓦陇中皆置莲灯一盏。内西楼后来禁人登眺，以第一层下视禁中。大抵诸酒肆瓦市，不以风雨寒暑，白昼通夜，骈阗如此。州东宋门外仁和店④、姜店，州西宜城楼、药张四店、班楼、金梁桥下刘楼、曹门蛮王家、乳酪张家、州北八仙楼、戴楼门张八家园宅正店、郑门河王家、李七家正店、景灵宫东墙长庆楼。在京正店七十二户，此外不能遍数，其馀皆谓之"脚店"。卖贵细下酒，迎接中贵饮食，则第一白厨，州西安州巷张秀，以次保康门李庆家，东鸡儿巷郭厨，郑皇后宅后宋厨，曹门砖筒李家，寺东骰子李家，黄胖家。九桥门街市酒店，彩楼相对，绣旆相招，掩翳天日。政和后来，景灵宫东墙下长庆楼尤盛。

[注释]

①阁子：即酒店里来客就餐的包间。②槏（qiǎn）：窗户两边的柱子。槏面，即走廊两侧靠墙的显著位置。③白矾楼：即宋代笔记和后来的戏曲小说中常提到的樊楼，亦即丰乐楼的原名。吴曾《能改斋漫录》卷八云："京师东华门外景明坊有酒楼，人谓之矾楼。或者以为楼主之姓，非也，本商贾鬻矾于此，后为酒楼，本名白矾楼。"《醒世恒言》第十四卷《闹樊楼多情周胜仙》，其中写道："如今且说那大宋徽宗朝年，东京金明池边，有座酒楼，唤作樊楼。"小说的叙写肯定有误，因为金明池在汴京城的汴河西水门之外，樊楼的地点绝对不会在金明池边上，而是如《能改斋漫录》所记在宫城的东华门外景明坊，即土市子以北的马行街西。又从《东京梦华录》所记，在樊楼上的西楼最高层可以眺望禁中，所以此楼应是靠近宫城的城墙。《醒世恒言》所记是小说家言，不足为据，当以《东京梦华录》所记为准。④仁和店：汴京外城中一处著名的酒楼，在从州桥往东的旧宋门外。欧阳修《归田录》卷一云：

"仁宗在东宫，鲁肃简公（宗道）为谕德，其居在宋门外，俗谓之浴堂巷。有酒肆在其侧，号仁和酒，有名于京师。公往往易服微行，饮于其中。"

[译文]

一般汴京城中的酒店，门前都扎缚有五彩迎宾楼门。只有任店一带的酒店不是这样，一进店门，有一条主廊长约百余步，南北天井院中的两边走廊都有小包间。到晚上灯烛辉煌，上下照耀，浓妆艳抹的妓女多达数百人，聚集在主廊的靠墙两侧，排列成行，以供顾客呼唤，一眼望去，她们就像仙女一般。往北去是杨楼，再往北穿过马行街，东西有两条巷子，叫做大货行、小货行，都是具有某些特长的手工艺人居住和营业的地方。小货行往东通往鸡儿巷妓院，大货行往西通往笺纸店、白矾楼。白矾楼后来改名为丰乐楼，宣和年间，又予以增修到三层楼，共有五座楼相连或相对，各有飞桥与栏槛，或明或暗互相通连，珍珠门帘，锦绣门楣，灯烛明亮，晃人眼睛。白矾楼刚开张的那几天，每天对最先光顾酒店的贵客奖赏一面金旗，过一两个晚上就停止了。正月十五日，就在店门前的每一条瓦垅上都放置一盏莲花灯。里边的西楼后来禁止人们登楼眺望，因为在这里的最高一层上可以往下望见皇宫里边。总的说来，大抵是各处酒楼与瓦市，不论是风雨寒暑，白昼黑夜，都是一样的喧嚷热闹。城东宋门外的仁和店、姜店，城西的宜城楼、药张四店、班楼，金梁桥下的刘楼，曹门的蛮王家、乳酪张家，城北的八仙楼，戴楼门的张八家园宅正店，郑门河的王家、李七家正店，景灵宫东墙的长庆楼等，都是如此。京城里高档的酒店有七十二家，此外稍次的酒店难以统计，其余的都叫做"脚店"。卖珍贵精细菜肴供给下酒，用来迎接宫中出来的宦官或贵人，都是京中第一等的厨师。这样级别的厨师有城西边安州巷的张秀，依次说有保康门的李庆家，东鸡儿巷的郭厨，郑皇后宅后边的宋厨，曹门砖筒的李家，寺东骰子的李家，还有黄胖家等。九桥门街市的酒店，彩楼相对而立，绣旗飘动迎客，遮天蔽日。政和年间以后，景灵官东墙下的长庆楼尤其兴盛。

## 饮食果子

凡店内卖下酒厨子，谓之"茶饭量酒博士"。至店中小儿子，皆通谓之"大伯"。更有街坊妇人，腰系青花布手巾，绾危髻，为酒客换汤斟酒，俗谓之"焌糟"。更有百姓入酒肆，见子弟少年辈饮酒，近前小心供过使令，买物命妓，取送钱物之类，谓之"闲汉"。又有向前换汤斟酒歌唱，或献果子香药之类，客散得钱，谓之"厮波"。又有下等妓女，不呼自来，筵前歌唱，临时以些小钱物赠之而去，谓之"札客"，亦谓之"打酒坐"。又有卖药或果实、萝卜之类，不问酒客买与不买，散与坐客，然后得钱，谓之"撒暂"。如此处处有之。唯州桥炭张家、乳酪张家，不放前项人入店，亦不卖下酒，唯以好淹藏菜蔬，卖一色好酒。所谓茶饭者，乃百味羹、头羹、新法鹌子羹、三脆羹、二色腰子、虾蕈、鸡蕈、浑炮等羹，旋索粉、玉棋子、群仙羹、假河鲀、白渫齑①、货鳜鱼、假元鱼、决明兜子、决明汤齑、肉醋托胎衬肠、沙鱼两熟、紫苏鱼、假蛤蜊、白肉、夹面子茸割肉、胡饼、汤骨头、乳炊羊、䐑羊、闹厅羊、角炙腰子、鹅鸭排蒸、荔枝腰子、还元腰子、烧臆子、入炉细项、莲花鸭签、酒炙肚胘、虚汁垂丝羊头、入炉羊、羊头签、鹅鸭签、鸡签、盘兔、炒兔、葱泼兔、假野狐、金丝肚羹、石肚羹、假炙獐、煎鹌子、生炒肺、炒蛤蜊、炒蟹、炸蟹、洗手蟹之类，逐时旋行索唤，不许一味有阙，或别呼索变造下酒，亦即时供应。又有外来托卖炙鸡、燠鸭②、羊脚子、点羊头、脆筋巴子、姜虾、酒蟹、獐巴、鹿脯、从食蒸作、海鲜时果、旋切莴苣生菜、西京笋。又有小儿子，着白虎布衫，青花手巾，挟白磁缸子，卖辣菜。又有托小盘卖干果子，乃旋炒银杏、栗子、河北鹅梨、梨条、梨干、梨肉、胶枣、枣圈、梨圈、桃圈、核桃、肉牙枣、海红、嘉庆子③、林檎旋④、乌李、李子旋、樱桃煎、西京雪梨、夫梨、甘棠梨、凤栖梨、镇府浊梨、河阴石榴、河阳查子、查条、沙苑榅桲、回马孛萄⑤、西川乳糖、狮子糖、霜蜂儿、橄榄、温柑、绵枨金橘、龙眼、荔枝、召白藕、甘蔗、漉梨、林檎干、枝头干、芭蕉干、人面子⑥、巴览子⑦、榛子、榧子⑧、虾具之类，诸般蜜煎香药、果子罐子、党梅、柿膏儿、香药、小元儿、小腊茶、鹏沙元之类。更外卖软羊诸色包子、猪羊荷包、烧肉干脯、玉板、鲊犯⑨、鲊片酱之类。其馀小酒店，亦卖下酒，如煎鱼、鸭子、炒鸡兔、煎燠肉、梅汁、血羹、粉羹之类，每分不过十五钱。诸酒店必有厅院，廊庑掩映，排列小阁子，吊窗花竹，各垂帘幕，命妓歌笑，各得稳便。

[注释]

①白渫斋：原本中作"渫"，应是"煤"字，即油炸的"炸"字。②燠（āo）鸭："燠"即煨烤之意，燠鸭，疑即是烤鸭。洪迈《夷坚志·丁志》卷四有"王立燠鸭"条，《夷坚志·丙志》卷九有"李吉燠鸡"条，当即是烤鸭、烤鸡的意思。③嘉庆子：即李子的一种。程大昌《演繁露》卷十五云："东都嘉庆坊有李树，其实甘鲜，为京城之美，故称嘉庆李。今人但言嘉庆子。"④林檎：水果名，即沙果，也叫花红、来禽、文林郎果。或谓此果味甜，果林能招来众禽，故有林檎、来禽之名。⑤孛萄：即葡萄。回马是地名，回马孛萄即是回马所产的葡萄。⑥人面子：产于中国南方的一种水果。李时珍《本草纲目》卷三十三云："人面子：《草木状》云，出南海，树似含桃，子如桃实无味，以蜜渍可食。其核正如人面可玩。"⑦巴览子：又称巴榄子，古代

从西域引进的一种水果。朱弁《曲洧旧闻》卷四云:"巴榄子如杏核,色白,褊而尖长,来自西番。比年近畿人种之亦生,树似樱桃,枝小而极低。"⑧榧(fěi)子:"榧"即"棐",一种树木,其果实可食。李时珍《本草纲目》引陶弘景语云,榧实出东阳诸郡。⑨鲊犯:或叫犯鲊、把鲊,北宋时京师流行的一种鱼制食品。周辉《清波别志》卷下云:"京师东华门何吴二家造鱼鲊,十数瓯作一把,号把鲊,著闻天下。文士有为赋诗,夸为真味。"吴自牧《梦粱录》卷十六云:"更有犯鲊铺兼货生熟肉,且如犯鲊名件最多。"

**[译文]**

  一般酒店内卖下酒菜的厨师,叫做"茶饭量酒博士"。到酒店来用餐的即使是年轻小伙儿,也都称他们为"大伯"。还有街坊的中年妇女,腰里系着青花布手巾,头上绾着高高的发髻,为酒客换汤斟酒,世俗称她们为"焌糟"。还有城里的普通百姓进入酒店做服务生,看见有年轻子弟们在这里饮酒,就走上前小心地侍候,客人们或者支使他们买些小东西,或者让他们召唤妓女,或者让他们取送钱物之类,这样的人叫做"闲汉"。还有到客人面前或者换汤斟酒,或者唱段小曲,或者奉献一些水果、香药之类,客人随意给一点零钱,这样的人叫做"厮波"。还有下等妓女,不呼唤而自动来到跟前,在筵席旁边唱歌,客人们临时给她们一些零钱或小礼物就离去,这样的人叫做"札客",也叫做"打酒坐"。还有卖药品的或卖花生、瓜子、萝卜之类的,不管用餐的客人买还是不买,就先给客人们分发,然后得到客人们回报的零钱,这样的人叫做"撒暂"。像这样的各种方式的服务,各酒店到处都有。只有州桥旁边的炭张家、乳酪张家酒店,不放前边所说的那些人进入店中,也不卖下等的酒菜,只用上等的名牌好菜、珍奇小吃供应客人,专卖上等的好酒。当时流行的饭食,主要是百味羹、头羹、新法鹌子羹、三脆羹、二色腰子、虾蕈、鸡蕈、浑炮等羹,旋索粉、玉棋子、群仙羹、假河鲀、白炸斋、货鳜鱼、假元鱼、决明兜子、决明汤斋、肉醋托胎衬肠、沙鱼两熟、紫苏鱼、假蛤蜊、白肉、夹面子茸割肉、胡饼、汤骨头、乳炊羊、胰羊、闹厅羊、角炙腰子、鹅鸭排蒸、荔枝腰子、还元腰子、烧臆子、入炉细项、莲花鸭签、酒炙肚胘、虚汁垂丝羊头、入炉羊、羊头签、鹅鸭签、鸡签、盘兔、炒兔、葱泼兔、假野狐、金丝肚羹、石肚羹、假炙獐、煎鹌子、生炒肺、炒蛤蜊、炒蟹、炸蟹、洗手蟹之类，随时进行呼唤索取，不许缺少任何一样，或者另外索要其他的菜肴让临时制作下酒菜，当时就能供得上。酒店里还有从外边进来的借着酒店的生意而出卖的炙鸡、烤鸭、羊脚子、点羊头、脆筋巴子、姜虾、酒蟹、獐巴、鹿脯、从食蒸作、海鲜时果、旋切莴苣生菜、西京笋。还有少年男孩身穿白虔布衫，拿着青花手巾，端着白瓷缸子，到这里卖辣菜。还有手托小盘卖干果子的，有旋炒银杏、栗子、河北鹅梨、梨条、梨干、梨肉、胶枣、枣圈、梨圈、桃圈、核桃、肉牙枣、海红、嘉庆子、林檎旋、乌李、李子旋、樱桃煎、西京雪梨、夫梨、甘棠梨、凤栖梨、镇府浊梨、河阴石榴、河阳查子、查条、沙苑榅桲、回马葡萄、西川乳糖、狮子糖、霜蜂儿、橄榄、温柑、绵帐金橘、龙眼、荔枝、召白藕、甘蔗、漉梨、林檎干、枝头干、芭蕉干、人面子、巴览子、榛子、榧子、虾具之类，以及各种蜜煎香药、果子罐子、党梅、柿膏儿、香药、小元儿、小腊茶、鹏沙元之类。此外还有卖软羊各色包子、猪羊荷包、烧肉干脯、玉板、鲊犯、鲊片酱之类。其余的小酒店，也卖下酒菜，如煎鱼、鸭子、炒鸡兔、煎燠肉、梅汁、血羹、粉羹之类，一份不过十五钱。各档次的酒店都有厅院，走廊和过厅掩映相连，旁边排列着小包间，撑起的窗前摆放着花竹盆景，悬挂着各种式样的垂帘绣幕，客人们可召来妓女陪酒，任意调笑，各自得以顺心满意。

# 卷之三

## 马行街北诸医铺

马行北去,乃小货行时楼、大骨傅药铺,直抵正系旧封丘门,两行金紫医官药铺。如杜金钩家、曹家,独胜元①;山水李家,口齿咽喉药;石鱼儿、班防御、银孩儿、柏郎中家,医小儿②;大鞋任家,产科。其馀香药铺席、官员宅舍,不欲遍记。夜市比州桥又盛百倍,车马阗拥,不可驻足,都人谓之"里头"。

[注释]

①独胜元:"元"即"丸"字。独胜元,大概是卖丸药的药店。②医小儿:即专门给小孩看病的儿科。

[译文]

顺着马行街往北去,有小货行时楼、大骨傅药铺,往北直达正对着的是旧封丘门,街两边有金紫医官药铺,如杜金钩家、曹家,其名牌是独胜丸;山水李家,主要是口齿咽喉药;石鱼儿、班防御、银孩儿、柏郎中家,主要是小儿科;大鞋任家,主要是妇产科。其余的香药店铺、官员的府宅等，这里不想一一记录。其夜市比州桥一带又繁盛百倍，车马堵塞拥挤，行人没法停留，京城里的人都把这里叫做"里头"。

## 大内西右掖门外街巷

大内西去，右掖门、祆庙①，直南浚仪桥，街西尚书省东门，至省前横街，南即御史台，西即郊社。省南门正对开封府后墙，省西门谓之西车子曲，史家瓠羹、万家馒头，在京第一。次曰吴起庙②。出巷乃大内西角楼。大街西去踊路街，南太平兴国寺后门，北对启圣院，街以西殿前司，相对清风楼、无比客店、张戴花洗面药，国太丞、张老儿、金龟儿、丑婆婆药铺，唐家酒店，直至梁门，正名阊阖。出梁门西去，街北建隆观，观内东廊于道士卖齿药，都人用之。街南蔡太师宅③，西去州西瓦子。南自汴河岸，北抵梁门大街亚其里瓦，约一里有馀。过街北即旧宜城楼。近西去金梁桥街、西大街、荆筐儿药铺、枣王家金银铺。近北巷口，熟药惠民西局。西去瓮市子，乃开封府刑人之所也。西去盖防御药铺、大佛寺、都亭西驿，相对京城守具所。自瓮市子北去大街，班楼酒店，以北大三桥子，至白虎桥，直北即卫州门。

[注释]

①祆（xiān）庙：祆教所供奉的祆神之庙。祆教又称拜火教，古波斯琐罗亚斯德（旧译作苏鲁支）所创教名。唐贞观五年（631年）在长安城中崇化坊建立祆寺，号大秦寺，后来在汴州和镇江也都建了祆庙。张邦基《墨庄漫录》卷四云："东京城北有祆庙。祆神本出西域，盖胡神也，与大秦穆护同入中国，俗以火神祠之。京师人畏其威灵，甚重之。……自唐以来，祆神已祀

于汴矣。而其祝乃能世继其职，逾二百年，斯亦异矣。"②吴起（约公元前440～前381年）：战国时卫国人，仕于魏国为大将。后奔楚，楚悼王用之为令尹，推行改革，招致仇怨。楚悼王死后，他被楚国宗室攻杀。后人为他建墓在魏国大梁城中，至五代、北宋时其墓即已经在汴京城中。③蔡太师：即徽宗时太师蔡京。政和六年（1116年），徽宗钦赐蔡京在京城建造宅第一所，房舍厅堂都建造得非常宽大华美。陆游《老学庵笔记》卷八记云："蔡京赐第宏敞过甚。"

[译文]

　　从皇宫大内往西去，是右掖门、祆庙，一直往南是浚仪桥，街西是尚书省东门，到省前的横街，南边就是御史台，西边是郊社。尚书省的南门正对着开封府的后墙，省西门叫做西车子曲，这里的史家瓠羹、万家馒头，在京城里数第一。紧挨着的是吴起庙。出了巷口就是大内的西角楼。顺大街往西去是踊路街，南边是太平兴国寺的后门，北边对着启圣院，街西是殿前司，相对着的是清风楼、无比客店、张戴花洗面药、国太丞、张老儿、金龟儿、丑婆婆药铺、唐家酒店，直到梁门，梁门的正名叫阊阖门。出了梁门往西去，街北是建隆观，观内东廊有于道士卖齿药，京城里的人都用它。街南是太师蔡京府宅，往西去是州西瓦子。南边从汴河岸边算起，往北到梁门大街亚其里瓦，大约一里有余。过街往北就是旧宜城楼。附近往西去是金梁桥街、西大街、荆筐儿药铺、枣王家金银铺。附近北边巷口，是熟药惠民西局。往西去是瓮市子，这是开封府处决死刑犯的地方。往西去是盖防御药铺、大佛寺、都亭西驿，相对的是京城守具所。从瓮市子往北去的大街，有班楼酒店，再往北是大三桥子，到白虎桥，一直往北就是卫州门。

## 大内前州桥东街巷

　　大内前州桥之东，临汴河大街，曰相国寺。有桥平正，如州桥，与保康门相对。桥西贾家瓠羹、孙好手馒头，近南即保康门潘家黄耆圆①。延宁宫禁女道士观，人罕得入。街西保康门瓦子。东去沿城皆客店，南方官员商贾兵级，皆于此安泊。近东四圣观、袜袎巷。以东城角定力院②，内有朱梁高祖御容③。出保康门外，新建三尸庙④、德安公庙。南至横街，西去通御街，曰麦稍巷⑤口。以南太学东门、水柜街余家染店。以南街东法云寺。又西去横街张驸马宅。寺南佑神观后门。

[注释]

①圆：即"丸"字。黄耆圆，大概是卖丸药的药店。②定力院：五代时就已存在的皇家寺院。廖莹中《江行杂录》记载，赵匡胤发动陈桥兵变回军汴京时，其母杜太夫人正在定力院设斋礼佛。李濂《汴京遗迹志》卷十一云："定力院在蔡河东水门之北，元末兵毁。"③朱梁高祖：即五代后梁太祖朱温。御容，皇帝的画像。朱温的画像是五代时著名画师王霭所绘。郭若虚《图画见闻志》卷三云："王霭，京师人，工画佛道人物，长写貌。五代间以画闻。……今定力院太祖御容、梁祖真像，皆霭笔也。"④三尸庙：供奉三尸神之庙。清周城《宋东京考》卷十六云："三尸庙在保康门外，祀三尸神也。始建未详，后废。按修真家言，凡人身中有三尸神，常以庚申日，乘人寐时，将本人罪过奏闻上帝，减其禄命。上尸名彭踞，中尸名彭踬，下尸名彭跻，每遇庚申日守夜不寐，则三尸不得上奏。"⑤麦稍巷：即麦秸巷。"稍"是"秸（秸）"字之误。

[译文]

皇宫大内前面的州桥的东面，临汴河有一条大街，往东不远就是相国寺。寺前汴河上的那座桥就是相国寺桥，此桥平正，和州桥一样，南边对着内城的保康门。桥西有贾家瓠羹、孙好手馒头，附近南边就是保康门潘家黄耆圆。这里的延宁宫禁女道士观，一般人很难入内。街西是保康门瓦子，往东去顺着城墙一带都是客店，在南方做官的官员及经商的大老板和军官人等，都在这里的客店住宿。附近往东是四圣观、袜袎巷。再往东的内城角上是定力院，里面有五代后梁太祖朱温的画像。出保康门外，有新建的三尸庙、德安公庙。往南到横街，往西通向御街，叫麦秸巷口。往南是太学东门、水柜街余家染店。往南的街东是法云寺。又往西去是横街、张驸马宅。法云寺的南边是佑神观的后门。

## 相国寺内万姓交易

相国寺①每月五次开放，万姓交易。大三门②上皆是飞禽猫犬之类，珍禽奇兽，无所不有。第二、三门皆动用什物。庭中设彩幕露屋义铺，卖蒲合簟席、屏帏洗漱、鞍辔弓剑、时果脯腊之类。近佛殿，孟家道冠、王道人蜜煎、赵文秀笔及潘谷墨。占定两廊，皆诸寺师姑卖绣作、领抹、花朵、珠翠、头面、生色销金花样、幞头③、帽子、特髻冠子、绦线之类。殿后资圣门前，皆书籍、玩好、图画及诸路罢任官员土物香药之类。后廊皆日者④货术、传神之类。寺三门阁上并资圣门，各有金铜铸罗汉五百尊、佛牙等，凡有斋供，皆取旨方开。三门左右有两瓶琉璃塔，寺内有智海、惠林、宝梵、河沙。东西塔院，乃出角院舍，各有住持僧官。每遇斋会，凡饮食茶果，动使器皿，虽三五百分，莫不咄嗟而办。大殿两廊，皆国朝名公笔迹，左壁画炽盛光佛降九曜鬼百戏，右壁佛降鬼子母揭盂，殿庭供献乐部马队之类。大殿朵廊，皆壁隐楼殿人物，莫非精妙。

[注释]

①相国寺：汴京城中一所著名的佛教寺院。初建于北齐文宣帝天保六年（555年），初名建国寺，后来荒废。唐初曾为郑王府中花园。唐中宗神龙年间，僧惠云在此建为佛寺。景云元年（710年）睿宗李旦即位后，因为睿宗曾被封为相王，于是将此寺改名为相国寺。北宋初年，相国寺大门前匾额题字曰

"相国之寺"。宋太宗至道二年（996年），重建相国寺三座门，上有门楼甚雄伟，太宗皇帝亲笔题额为"大相国寺"。②大三门：即宋太宗至道二年重建的相国寺大门。王栐《燕翼诒谋录》卷二云："太宗皇帝至道二年，命重建三门，为楼其上甚雄。宸墨亲填书金字曰'大相国寺'，五月壬寅赐之。"③幞头：古代一种帽子的形式，起于后周时，唐宋时都很流行。程大昌《演繁露》卷十二云："幞头起于后周，一名四脚。其制裁纱覆首尽韬其发，两脚系脑后。故唐装悉垂脚，其改为硬脚，史不载所始，故莫知其自何时也。"④日者：古代以占候卜筮为职业的人。春秋时已经有这一名称，《墨子·贵义》云："子墨子北之齐，遇日者。"《史记》中有褚少孙补作的《日者传》。

[译文]

相国寺每月有五次开放的日子，让百姓在这里进行商品交易。大三门前都是飞禽猫犬之类，以及珍禽奇兽的交易，无所不有。第二、三道门买卖的都是日常使用的玩具、杂物等。寺里面的庭院内，架设起彩色帐幕，或者是露天的铺位，买卖蒲合、簟席、屏帏、洗漱、鞍辔、弓剑、时果、脯腊之类。靠近佛殿的地方，有孟家道冠、王道人蜜煎、赵文秀笔及潘谷墨。占据着两边走廊的，是各寺院的师姑卖绣作、领抹、花朵、珠翠、头面、生色销金花样、幞头、帽子、特髻冠子、绦线之类。佛殿后面的资圣门前，都是买卖书籍、玩好、图画，以及各地被罢职的官员贩卖的土特产和香药之类。后边的走廊买卖的都是占卜算卦者所用的货术、传神之类。相国寺的大三门楼上及资圣门，各有金铜铸罗汉五百尊、佛牙等，凡是有人来寺院里吃斋献供，都要得到寺内住持的批准才能打开寺门。大三门左右两边各有一座瓶状的琉璃塔，寺内还有智海、惠林、宝梵、河沙等。东、西塔院，都是出家人的住处，各有住持、僧官等人的房间。每逢斋戒盛会，凡是所需要的饮食茶果及供使用的各种器皿等，虽然只有三五百份，但都能够在不大一会儿就可以买到。大殿两边的廊内，都有本朝名家的题字，左边墙上画的是炽盛光佛降九曜鬼百戏图，右边墙上画的是佛降鬼子母揭盂图，以及在佛殿大庭供献的乐部马队之类的图画。大殿的朵廊上，也都画着楼殿人物等图，无不精妙绝伦。

## 寺东门街巷

寺东门大街，皆是幞头、腰带、书籍、冠朵铺席，丁家素茶。寺南即录事巷妓。绣巷皆师姑绣作居住。北即小甜水巷，巷内南食店甚盛，妓馆亦多。向北李庆糟姜铺，直北出景灵宫东门前。又向北曲东税务街、高头街。姜行后巷，乃脂皮画曲妓馆。南北讲堂巷，孙殿丞药铺、靴店。出界身北巷，巷口宋家生药铺，铺中两壁，皆李成①所画山水。自景灵宫东门大街向东，街北旧乾明寺，沿火改作五寺三监②。以东向南曰第三条甜水巷，以东熙熙楼客店，都下着数。以东街南高阳正店，向北入马行。向东街北曰车辂院，南曰第二甜水巷。以东审计院，以东桐树子韩家，直抵太庙前门。南往观音院③，乃第一条甜水巷也。太庙北入榆林巷，通曹门大街，不能遍数也。

[注释]

①李成：五代至北宋初著名画家，字咸熙，营丘（今山东临淄）人。据王辟之《渑水燕谈录》卷七等处记载，李成于后周时同枢密使王朴友善，被召至汴京，王朴死后他不得志。北宋初乾德年间，卫融官陈州知州，请他到陈州郡治所，李成竟然贪酒死于客舍。李成善弹琴，能作诗，画山水尤其绝妙。其子李觉亦善画，仕至国子博士，直史馆，朝廷追赠李成官为光禄寺丞。②五寺三监：宋朝朝廷六部之外的政府职能部门，总称为五寺三监。《西湖老人繁胜录》记载五寺三监为太常寺、太府寺、司农寺、大理司（寺）、宗正寺和将作监、军器监、国子监。徽宗崇宁以后，因徽宗崇信道教，排斥佛教，汴京城中的不少佛寺被毁弃，于是原来的乾明寺改为五寺三监的衙署。《东京梦华

录》原刊本作"五寺王监","王"为"三"字之误。"沿火"二字语义不详,疑有误字。③观音院:原来曾是佛教供奉观音菩萨的寺院,后来成为朝廷官员被罢官之后待罪反省的地方。王明清《挥麈后录》卷六云:"观音院盖承平时执政丐外待罪之地也。"

[译文]

相国寺的东门大街,都是买卖幞头、腰带、书籍、冠朵等物品的店铺,还有丁家素茶。寺南边是录事巷妓院馆。绣巷都是师姑们制作绣品的住所。北边就是小甜水巷,巷里面卖南方食品的小店特别兴盛,妓院也多。往北是李庆糟姜铺。一直往北通到景灵宫的东门前。再向北拐弯是东税务街、高头街。姜行后巷,这里是脂皮画曲妓院。南北讲堂巷,有孙殿丞药铺、靴店。出了界身北巷,巷口有宋家生药铺,药铺中两边的墙上,都是宋初著名画家李成所画的山水画。从景灵宫东门大街向东,街北是旧乾明寺,徽宗崇宁以来这里改称"五寺三监"。往东向南叫做第三条甜水巷,往东是熙熙楼客店,这是京城里数得着的上等宾馆。往东街南是高阳正店,向北就进入马行街了。往东,街北叫车辂院,南边叫第二甜水巷。往东是审计院,再往东是桐树子韩家,一直抵达太庙前门。南边前往观音院,这就是第一条甜水巷。太庙往北进入榆林巷,往前通曹门大街,这里的街巷店铺难以一一记述。

# 上清宫

上清宫①在新宋门里街北,以西茆山下院。醴泉观在东水门里。观音院在旧宋门后、太庙南门。景德寺在上清宫背,寺前有桃花洞,皆妓馆。开宝寺②在旧封丘门外斜街子,内有二十四院,惟仁王院最盛。天清寺在州北清晖桥。兴德院在金水门外。

长生宫在鹿家巷。显宁寺在炭场巷北边。婆台寺在陈州门里。兜率寺在红门道。地踊佛寺③在州西草场巷街南边。十方静因院④在州西油醋巷。浴室院在第三条甜水巷。福田院在旧曹门外。报恩寺在卸盐巷。太和宫女道士在州西洪桥子大街。洞元观女道士在班楼北。瑶华宫在金水门外。万寿观在旧酸枣门外、十王宫前。

[注释]

①上清宫:又称上清储祥宫。北宋初年,宋太宗赵光义未当皇帝之前为藩王时,得宋太祖赵匡胤恩赐而建造。蔡絛《铁围山丛谈》卷二云:"上清储祥宫者,乃太宗出藩邸时艺祖所锡予而建也。"原为道教寺观,里面有玉石三清真像。北宋时曾几次遭到火灾。②开宝寺:汴京城中一所著名寺院,旧名独居寺,北齐文宣帝天保十年(559年)创建。唐玄宗开元十七年(729年)东巡至泰山封禅,返回长安时经过此寺,改其名为封禅寺。宋太祖开宝三年(970年),又改名为开宝寺。北宋时曾几次进行大规模的重修。③地踊佛寺:即地涌佛寺。周城《宋东京考》卷十五云:"地涌佛寺在陈州门内之南草场巷,始建未详,元末兵毁。"④静因院:即净因院,原刊本《东京梦华录》误"净"为"静"。李濂《汴京遗迹志》卷十一云:"净因院在梁楼西汴河之南,元末兵毁。"

[译文]

上清宫在新宋门里的大街北边,它的西边是茆山下院。醴泉观在东水门里边。观音院在旧宋门后、太庙南门。景德寺在上清宫背后,寺前有桃花洞,都是妓院。开宝寺在旧封丘门外斜街子,里边有二十四院,其中仁王院最为繁盛。天清寺在城北边的清晖桥。兴德院在金水门外。长生宫在鹿家巷。显宁寺在炭场巷北边。婆台寺在陈州门里边。兜率寺在红门道。地涌佛寺在城西草场巷街南边。十方净因院在城西边的油醋巷。浴室院在第三条甜水巷。福田院在旧曹门外。报恩寺在卸盐巷。太和宫女道士在城西边的洪桥子大街。洞元观女道士在班楼北边。瑶华宫在金水门外。万寿观在旧酸枣门外、十王宫前边。

## 马行街铺席

马行北去旧封丘门外，袄庙斜街、州北瓦子。新封丘门大街，两边民户铺席，外余诸班直军营相对，至门约十里余。其余坊巷院落，纵横万数，莫知纪极。处处拥门，各有茶坊酒店，勾肆饮食。市井经纪之家，往往只于市店旋买饮食，不置家蔬。北食则矾楼前李四家、段家爊物、石逢巴子，南食则寺桥金家、九曲子周家，最为屈指。夜市直至三更尽，才五更又复开张。如要闹去处，通晓不绝。寻常四梢远静去处，夜市亦有燋酸豏①、猪胰胡饼、和菜饼、獾儿野狐肉、果木翘羹、灌肠、香糖果子之类。冬月虽大风雪阴雨，亦有夜市，剺子、姜豉、抹脏、红丝、水晶脍、煎肝脏、蛤蜊、螃蟹、胡桃、泽州饧、奇豆、鹅梨、石榴、查子、榅桲、糍糕、团子、盐豉汤之类。至三更方有提瓶卖茶者。盖都人公私荣干②，夜深方归也。

[注释]

①酸豏（xiàn）：一种食品，其形状及制法不详。"酸豏"亦作"酸䭃"或"馂馅"。欧阳修《归田录》卷二云："京师食店卖酸䭃者，皆大出牌榜于通衢，而俚俗昧于字法，转'酸'从'食'，'䭃'从'臽'。有滑稽子谓人曰：'彼家所卖馂馅（音俊叨），不知为何物也。'饮食四方异宜，而名号亦随时俗，言语不同，至或传者转失其本。"②荣干：疑是"营干"，即营生、公干之意。"荣"或是"营"字形近而误。

[译文]

从马行街往北来到旧封丘门外，有袄庙斜街、州北瓦子。新封丘门外大街，两边除居民住户和店铺门面之外，还有禁军各部值班的军营相对排列,直到距封丘门约十里远的地方,其余都是坊巷院落,纵横上万家,难以统计到底有多少。处处都是门户连着门户,各有茶坊酒店,以及集市或卖吃食的。做买卖的商贩人家,往往都是在食品店中购买饮食所需,不在家做饭。销售北方风味食品的有矾楼前李四家、段家爊物、石逢巴子,销售南方风味食品的有寺桥金家、九曲子周家,都是首屈一指的名店。夜市直到三更才罢,刚到五更就又开张了。如果是特别繁华热闹的地方,通宵不停止营业。那些平常稍远或稍静僻的地方,夜市也有卖爊酸豏、猪胰胡饼、和菜饼、獾儿野狐肉、果木翘羹、灌肠、香糖果子之类。冬天虽然逢着大风、下雪或阴雨天气,也有夜市,卖的有剿子、姜豉、抹脏、红丝、水晶脍、煎肝脏、蛤蜊、螃蟹、胡桃、泽州饧、奇豆、鹅梨、石榴、查子、榅桲、糍糕、团子、盐豉汤之类。到三更时才有提着开水瓶卖茶的。这是因为京城里的人们办公事或私事,往往到深夜才能归家。

## 般载杂卖

东京般载车①,大者曰"太平"。上有箱无盖,箱如构栏而平,板壁前出两木,长二三尺许。驾车人在中间,两手扶捉鞭绥②驾之。前列骡或驴二十馀,前后作两行,或牛五七头拽之。车两轮与箱齐,后有两斜木脚拖。夜中间悬一铁铃,行即有声,使远来者车相避。仍于车后系骡驴二头,遇下峻险桥路,以鞭吓之,使倒坐绳车,令缓行也。可载数十石。官中车惟用驴,差小耳。其次有"平头车",亦如"太平车"而小,两轮前出长木作辕木,梢横一木,以独牛在辕内,项负横木,人在一边,以手牵牛鼻绳驾之,酒正店多以此载酒梢桶矣。梢桶如长水桶,面安靥口，每梢三斗许，一贯五百文。又有宅眷坐车子，与平头车大抵相似，但棕作盖，及前后有构栏门，垂帘。又有独轮车，前后两人把驾，两旁两人扶拐，前有驴拽，谓之"串车"，以不用耳子转轮也。般载竹木瓦石，但无前辕，止一人或两人推之。此车往往卖糕及糕麋之类人用，不中载物也。平盘两轮，谓之"浪子车"，唯用人拽。又有载巨石大木，只有短梯盘而无轮，谓之"痴车"，皆省人力也。又有驼骡驴驮子，或皮或竹为之，如方匾竹篓③，两搭背上，斛㪷④则用布袋驮⑤之。

[注释]

①般载车：搬运货物的车辆。"般"是"搬"的通假字。②绥：即"绥"字，古时车前供驾车或上车时手挽的绳索。③篓（cuō）：竹笼一类的盛物之器。④斛㪷（dǒu）：即斛与㪷，古代两种量取粮食的容器，这里指粮食。⑤驮：原刊本作"驰"（骆驼），当是"驮"字之误。

[译文]

东京城里承办搬家或运送货物的车辆，大的叫做"太平车"。上面有车箱而无车盖，车箱就像闹市里的勾栏那样而上为平顶，车箱的板壁前边突出两根直木，长约二三尺。驾车人坐在中间，两手握着长鞭和缰绳进行驾驶。车前套着骡子或驴子二十多头，前后分作两行，或者用五七头牛拉车。车的两个车轮和车箱一样高，后面有两个倾斜的木脚拖。夜间行车时，车的中间悬挂着一个铁铃，车子行驶时就发出响声，使远处过来的车辆听见及时躲避。还在车后拴着两头骡子或驴子，遇着下坡或险峻一些的桥或路，就挥鞭吓唬这两头骡或驴，让它们往后使劲倒坐坠着重车，使车得以慢慢地行进。这样的大车可以装载数十石粮食。官府用的车只用驴来拉，因为这样的车要小一些。其次是"平头车"，也像"太平车"那样的形状，但要略微小一些，两个车轮往前突出两根长木作为辕木，前头又固定一根横木，把一头牛套在辕内，牛颈上负着这根横木，驾车人坐在车上的一边，用手牵着牛鼻绳驾车。上等的酒店多用这样的车运载盛酒的梢桶。梢桶就像一个大而长的水桶，前面安放着屫口，每个梢桶可装三斗左右的酒，值一贯五百文钱。又有专供家属女眷乘坐的车子，和这样的平头车大抵相似，只不过是像小房间那样，上面有棕榈顶盖，前后有勾栏门那样的上车门，门上垂着布帘。还有一种独轮车，前后有两人把驾，两旁有两人扶拐，前面用驴拉，这叫做"串车"，因为它不用两边的耳子转轮。如果是运送竹木瓦石的车子，却没有前面的车辕，只用一人或两人在后面推。这种车往往是卖糕及卖糕糜之类的小贩使用的，不用它来运送货物。还有一种平盘两轮的车，叫做"浪子车"，只用人拉。还有运送巨大的石料或木料的，只有像短梯形状的车盘而无车轮，这叫做"痴车"，都是为了节省人力。京城里还有骆驼、骡子或驴子的驮子，或者用皮革，或者用竹子，做成像方匷那样的竹篓子，在牲口的背上两边搭上，如果是运送粮食，就用布袋驮运。

## 都市钱陌

都市钱陌①，官用七十七，街市通用七十五，鱼肉菜七十二陌，金银七十四，珠珍、雇婢妮、买虫蚁六十八，文字五十六陌。行市各有长短使用。

[注释]

①钱陌：即百钱，钱的计量单位。沈括《梦溪笔谈》卷四"辩证二"云："今之数钱，百钱谓之陌者，借陌字用之，其实只是百字，如什与伍耳。"顾炎武《日知录》卷十一"短陌"一节亦有解释。实际上在现实的交易中，钱陌并没有一百钱，一般都不足数。罗大经《鹤林玉露》卷一云："《五代史》汉王章为三司使，征利剥下，缗钱出入元以八十为陌。章每出钱，百必减其

三。至今七十七为官省钱者自章始。"据此，可知自五代后汉时就开始把七十七钱算作百钱了。北宋时依然如此，百钱所算钱数参差不一。

[译文]

京都集市上进行货币交易，计量时以陌（百钱）为单位，但实际上官府使用时以七十七钱为陌，街市通用以七十五钱为陌，买卖鱼肉蔬菜等以七十二钱为陌，买卖金银以七十四钱为陌，买卖珠玉珍宝、雇用女使、买卖虫蚁等以六十八钱为陌，文字类交易以五十六钱为陌。商业贸易使用钱币时各有不同的计数方法。

## 雇觅人力

凡雇觅人力、干当人①、酒食作匠②之类，各有行老③供雇。觅女使④即有引至牙人⑤。

[注释]

①干当人：在官衙或大户人家府中被雇用做佣工的杂役人员，一般为以计件、计量或计时论工价。②酒食作匠：制作酒菜饭肴的厨师。③行（háng）老：专门引荐受雇杂役人员的中介人，各个行业都有，一般年岁较长，因此被称为行老。④女使：即女佣人。古代女佣人的身份及所从事的事务各有不同。廖莹中《江行杂录》记云："（女使）名目不一，有所谓身边人、本事人、供过人、针线人、堂前人、杂剧人、拆洗人、琴童、棋童、厨娘等级，截乎不紊。就中厨娘最为下色，然非极富贵家不可用。"其中所谓的"身边人"，即是大户人家府中最亲近的女佣，或等同于妾媵，如《红楼梦》中的平儿。其他各色女佣则在府中从事各种杂役，如管事、做针线、打扫、洗衣物、演戏剧、弹唱歌舞、陪伴下棋、在厨房做饭等。⑤牙人：即牙侩，或称驵侩，又称牙郎，旧时集市中以介绍买卖为业的经纪人。宋刘攽《贡父诗话》云："刘道原（恕）云：'今有人谓驵侩为牙，本谓之互郎，主互市事也。'"吴曾《能改斋漫录》卷三有"牙郎"一节解释更详。

[译文]

凡是临时雇用脚夫、杂役工人、宴席厨师等人员，各有专门行业的中介人给予介绍。雇用女佣人也有专门牵线的经纪人。

## 防 火

每坊巷三百步许，有军巡铺屋一所，铺兵五人，夜间巡警，收领公事。又于高处砖砌望火楼，楼上有人卓望①。下有官屋数间，屯驻军兵百馀人，及有救火家事②，谓如大小桶、洒子、麻搭、斧锯、梯子、火叉、大索、铁猫儿之类。每遇有遗火去处，则有马军奔报，军厢主、马步军、殿前三衙、开封府各领军汲水扑灭，不劳百姓。

[注释]

①卓望：登高远望。②家事：即各种器材或工具。

[译文]

每条街巷，隔三百多步就有一处消防兵士的值班房屋，配有消防兵士五人，夜间要进行巡逻，负责应对各处报警的救火事宜。还在较高的地方用砖建一座望火楼，楼上有人值勤，向远处眺望。楼下有公房数间，驻守着消防兵士一百多人，并存放有救火的各种器材和工具，如大小桶、洒子、麻搭、斧锯、梯子、火叉、大索、铁猫儿之类。每逢遇到有失火的地方，就有骑兵飞马报告，于是军厢主、马步军、殿前三衙、开封府等部门各自带领兵士汲水将火扑灭，不需要动用百姓人力。

## 天晓诸人入市

每日交五更,诸寺院行者打铁牌子,或木鱼,循门报晓,亦各分地分,日间求化。诸趋朝入市之人,闻此而起。诸门桥市井已开,如瓠羹店门首坐一小儿,叫"饶骨头",间有灌肺及炒肺。酒店多点灯烛沽卖,每分不过二十文,并粥饭点心。亦间或有卖洗面水、煎点汤茶药者,直至天明。其杀猪羊作坊,每人担猪羊及车子上市,动即百数。如果木亦集于朱雀门外及州桥之西,谓之果子行。纸画儿亦在彼处,行贩不绝。其卖麦面,秤作一布袋①,谓之"一宛";或三五秤作一宛,用太平车或驴马驮之,从城外守门入城货卖,至天明不绝。更有御街州桥至南内前②,趁朝卖药及饮食者,吟叫百端。

[注释]

①秤作一布袋:《秘册汇函》本的《东京梦华录》在这一句的"秤"字前边有一"每"字,其他版本这里无"每"字。加不加"每"字,其意思基本上是一样的。②南内前:即皇宫大内的南门外,亦即宣德门外。

[译文]

每天清晨五更的时候,各个寺院里的行者就敲打铁牌子或木鱼,挨门报晓,也各自按照划定的地段,白天在这里化缘请求布施。那些赶早朝的官员和赶早集的百姓们,听见这敲打铁牌子和木鱼的声音就立即起床。京城各个城门和各个桥头的早市也开始了买卖,如瓠羹店的门前坐着一个小男孩,叫"饶骨头",其间有灌肺及炒肺出卖。酒店里大多点起灯烛,卖出的酒菜每一份不过二十文钱,还包括稀粥和点心。也同时有卖洗脸水及代煎汤药的,直到天亮。那些杀猪宰羊的作坊,每个人担着猪羊肉或者推着车子来到集市上，常常是一出动就有上百人。那些卖水果的也聚集在朱雀门外和州桥的西边，叫做果子行。卖纸画儿的也在那里，买卖兴旺，连续不断。那些卖小麦面粉的，每一秤作为一布袋，叫做"一宛"；或者是三五秤作为一宛，用太平车装运或用驴马驮着，夜间就在城门外守候，一开城门就进城兜售，到天亮还没有卖完。还有御街上从州桥到皇城大内的南门外这一段，赶早市卖药及卖饮食的商贩，呼叫百端，十分热闹。

## 诸色杂卖

若养马，则有两人日供切草；养犬，则供饧糟；养猫则供猫食并小鱼。其锢路、钉铰、箍桶、修整动使、掌鞋、刷腰带、修幞头帽子、补角冠、日供打香印①者，则管定铺席人家牌额，时节即印施佛像等。其供人家打水者，各有地分坊巷。及有使漆、打钗环、荷大斧斫柴、换扇子柄，供香饼子、炭团，夏月则有洗毡、淘井者，举意皆在目前。或军营放停，乐人动鼓乐于空闲，就坊巷引小儿妇女观看，散糖果子之类，谓之"卖梅子"，又谓之"把街"。每日如宅舍宫院前，则有就门卖羊肉、头肚、腰子、白肠、鹑兔、鱼虾、退毛鸡鸭、蛤蜊、螃蟹、杂㹅、香药果子，博卖②冠梳领抹、头面、衣着、动使铜铁器、衣箱、磁器之类，亦有扑上件物事者，谓之"勘宅"。其后街或闲空处，团转盖屋，向背聚居，谓之"院子"，皆小民居止，每日卖蒸梨枣、黄糕麋、宿蒸饼、发牙豆③之类。每遇春时，官中差人夫监淘在城沟渠，别开坑盛淘出者泥，谓之"泥盆"，候官差人来检视了方盖覆。夜间出入，月黑宜照管也。

[注释]

①香印：供佛用品。北宋因避宋太祖赵匡胤名讳，买卖香印者不直接称呼，用打锣来表示，称为"打香印"。宋吴处厚《青箱杂记》卷二记云："太祖庙讳匡胤，故今世卖香印者，不敢斥呼，鸣锣而已。"②博卖：原刊本《东京梦华录》作"扑卖"为是。扑卖，小商贩以赌博的方式招揽生意，宋元时比较流行。多用掷钱的办法，视钱的正反面多少确定输赢，赢者得物，输者失钱。宋鲁应龙《闲窗括异志》记云："（张湘）梦人持巨蟹扑卖，湘一扑五钱皆黑，一钱旋转不已，竟作字。"这里所说的就是当时进行扑卖的情形。下文"亦有扑上件物事者"的"扑"也是扑卖的意思。③发牙豆：黄豆芽或绿豆芽一类的蔬菜。"牙"即是"芽"的通假字。

[译文]

如果养马，就需要有两个人每天供应铡草；养狗的人家，就供应饧糟；养猫的人家，就供应猫食和小鱼。还有那些加固路面者、钉铰工匠、箍桶匠、做修补类的杂活者、掌鞋匠，刷腰带、修理幞头帽子、补角冠的手工艺人，都有各自固定的店铺和营业执照，每天供给香印者，按照相应的节日印制并发送佛像。那些供应住户用水的打水者，各自有划定的地段和街巷，还有那些油漆工、打钗环的匠人、扛着大斧头为人家劈柴的人，以及换扇子柄、供应香饼子和炭团者，夏天里还有那些为人洗毡、淘井的工人等，一旦需要他们就会立即出现在眼前。赶上军营的假日，乐队就利用这空闲的日子演奏乐曲，在街坊吸引小孩和妇女观看，并散发一些零星的糖果，这叫做"卖梅子"，又叫做"把街"。每天在居民区或在皇宫前面的大街上，都有人挨门叫卖羊肉、头肚、腰子、白肠、鹑兔、鱼虾、退毛鸡鸭、蛤蜊、螃蟹、杂燠、香药果子，以及叫卖冠梳领抹、头面、服装、日常使用的铜铁器皿、衣箱、瓷器之类。也有把上面这些东西进行扑卖的，这叫做"勘宅"。在城中的背街上或在空闲的地方占地盖房，或者门户相对，或者门户相背地比邻而居，这叫做"院子"，普通百姓住在这里，每天卖些蒸梨枣、黄糕麋、宿蒸饼、发芽豆之类的东西。每逢春天，官府还差人监工，淘挖城中的沟渠，在旁边另外挖一个大坑，堆放从沟渠中淘出的淤泥，这叫做"泥盆"，必须等到官府差官来检查验收之后才能把这泥坑封盖起来。夜间行人出入经过，由于没有月亮的夜晚非常黑暗而派专人在这里照看，以免发生意外事故。

# 卷之四

## 军头司

军头司每旬休，按阅内等子①、相扑手、剑棒手格斗。诸军营殿前指挥使直②，在禁中有左右班、内殿直、散员、散都头、散直、散指挥；御龙左右直，系打御从物；御龙骨朵子直、弓箭直、弩直、习驭直、骑御马、钧容直、招箭班、金枪班、银枪班。殿侍诸军东西五班，常入祗候，每日教阅野战。每遇诸路解到武艺人，对御格斗。天武、捧日、龙卫、神卫，各二十指挥，谓之上四军，不出戍。骁骑、云骑、拱圣、龙猛、龙骑，各十指挥，殿前司、步军司有虎翼各二十指挥，虎翼水军、宣武各十五指挥，神勇、广勇各十指挥。飞山、床子弩、雄武、广固等指挥，诸司则宣效六军。武肃、武和、街道司诸司诸军指挥，动以百数。诸宫观宅院，各有清卫厢军、禁军剩员十指挥。其馀工匠修内司、八作司、广固作坊、后苑作坊、书艺局、绫锦院、文绣院、内酒坊、法酒库、牛羊司、油醋库、仪鸾司、翰林司、喝探、武严、辇官、车子院、皇城官、亲从官、亲事官、上下宫皇城黄皂院子、涤除，各有指挥，记省不尽。

[注释]

①等子：宋代军事制度中一种下级军官的名称，比等子再高一级为军头。宋赵升《朝野类要》卷一云："军头引见司等子，旧是诸州解发强勇之人，经由递传至京师。今则只取殿前旧司捧日等指挥人兵拣为之。……等子之上，谓之忠佐军头，皆由百司人兵亲兵及随龙人年劳升为之，或幕士带之。"②直：宋代军制中军官的名称，叫"某某直"，"直"当是指在一定的岗位上负有一定责任的意思。下文中"御龙左右直"、"弓箭直"、"弩直"等，总称为诸班直。见《宋史》卷一四一"兵制二·禁军下"。

[译文]

军头司每过十天，就按照编制让军中的等子、相扑手、剑棒手进行格斗训练。各禁军营中的殿前指挥使直，在皇城守卫的有左右班、内殿直、散员、散都头、散直、散指挥；御龙左右直，是在皇帝出行时进行护卫并且要持举各种皇家仪仗；跟从的军职有御龙骨朵子直、弓箭直、弩直、习驭直、骑御马、钩容直、招箭班、金枪班、银枪班。负责宫殿防务的禁军有东西五班，经常进入宫中听候命令，还要每天进行野战训练。每逢有全国各路解送到京师的武艺高强的艺人，要在皇帝面前进行格斗。天武、捧日、龙卫、神卫，这四种禁军军官各管领二十指挥，这叫做上四军，不调往京城之外承担防务。骁骑、云骑、拱圣、龙猛、龙骑这五种禁军军官，各管领十指挥。殿前司、步军司管领虎翼禁军各二十指挥，虎翼水军、宣武军军官各管领十五指挥，神勇、广勇这两种禁军军官各管领十指挥。飞山、床子弩、雄武、广固等各设有指挥，各禁军部门都要和其他各路军队一样归朝廷节制。武肃、武和、街道司等各种禁军指挥，常常是一出动就在一百人以上。京城中的宫观宅院也都各有清卫厢军、禁军剩员十指挥。其余的工匠修内司、八作司、广固作坊、后苑作坊、书艺局、绫锦院、文绣院、内酒坊、法酒库、牛羊司、油醋库、仪鸾司、翰林司、喝探、武严、辇官、车子院、皇城官、亲从官、亲事官、上下宫皇城黄皂院子、涤除等部门，各有指挥，难以详细记述。

## 皇太子纳妃

皇太子纳妃，卤簿①仪仗，宴乐仪卫。妃乘厌翟车②，车上设紫色团盖，四柱维幕，四垂大带，四马驾之。

[注释]

①卤簿：帝王驾出时扈从的仪仗队。出行的目的不同，仪仗也各不相同。汉应劭《汉官仪》卷下记云："天子车驾次第谓之卤簿。"汉代以后，卤簿也用于后妃、太子及王公大臣，唐代制度对于四品以上官员皆给卤簿。原本作"卤部"误，今改。②厌翟车：用翟羽作为遮蔽的车子。翟，即是雉鸟。《周礼·春官·巾车》云："王后之五路……厌翟，勒面缋总。"《隋书·礼仪志五》记隋代皇后的车驾有十二等，第二等为厌翟。

[译文]

皇太子纳妃的典礼，使用皇家的卤簿仪仗，有皇家宴飨乐队和仪仗侍卫。妃子乘坐厌翟车，车上设置有紫色圆形华盖，车盖的四柱悬挂着帷幕，四角悬垂着大彩带，用四匹马驾车。

## 公主出降

公主出降①，亦设仪仗、行幕、步障②，水路。凡亲王公主出则有之。皆系街道司兵级数十人，各执扫具、镀金银水桶，前导洒之，名曰"水路"。用檐床③数百，铺设房卧，并紫衫卷脚幞头天武官④抬舁。又有宫嫔数十，皆真珠钗插、吊朵玲珑、簇罗头面、红罗销金袍帔，乘马双控双搭，青盖前导，谓之"短镫"。前后用红罗销金掌扇遮簇，乘金铜檐子⑤，覆以剪棕，朱红梁脊，上列渗金铜铸云凤花朵。檐子约高五尺许，深八尺，阔四尺许，内容六人，四维垂绣额珠帘，白藤间花。匡箱之外，两壁出栏槛，皆缕金花，装雕木人物神仙。出队两竿十二人，竿前后皆设绿丝绦，金鱼勾子勾定。

[注释]

①出降：公主出嫁。帝王地位尊崇，其公主出嫁故称"降"。唐代已用此词，如唐李肇《国史补》卷中云："太和公主出降回鹘。"②步障：用以遮蔽风尘或障蔽内外的屏幕。古代贵族女子出行时要设置步障。《世说新语·汰侈》云："君夫（王恺）作紫丝布步障、碧绫裹四十里。石崇作锦步障五十里以敌之。""步障"或作"步鄣"，《晋书·列女·王凝之妻谢氏传》云："乃施青绫步鄣自蔽。"③檐（dàn）床：即下文"檐子"。或谓"檐床"的"檐"为"擔（担）"，不确。④天武官：禁军上四军的军官名称。见前"军头司"一节。⑤檐子：古代达官贵人出行时乘坐的轿子，有上盖和四边屏障的称为舆，无上盖和四边屏障的称为檐子。唐代时已经很流行，唐高宗显庆二年（657年）曾有诏禁止，但却未能禁住，到宋代依然使用。高承《事物纪原》卷八引《旧唐书·舆服志》云："开成末制定，宰相三公诸司官及致仕官疾病官许乘檐子，如汉魏载舆之制。"

[译文]

公主出嫁的典礼，也设置仪仗、行幕、步障，并且要求"水路"。凡是亲王的公主出嫁就要用这样的礼节。所谓"水路"，就是由街道司管辖的禁兵出动几十名，每人各自拿着扫地工具，提着镀金镶银的水桶，在仪仗将要经过的道路上清扫路面并洒水，这就叫做"水路"。仪仗使用的檐子（轿子）多达数百个，檐子上铺设有内室卧具，并由身穿紫衫、头戴卷脚幞头的禁军上四军的天武官抬着。还有宫嫔几十名,都头戴珠翠金钗,发髻上插着珍贵玉饰及华美的绢花吊朵等,身上穿的是红罗销金长衣和披风,所乘之马都是双控双搭,有人手执青色的华盖在前边引导,这叫做"短镫"。仪仗中前后都有人用红罗销金掌扇遮蔽着、簇拥着,公主乘坐的是镶金裹铜的檐子,上面盖着剪花的棕榈装饰,檐子有大红色的梁脊,上面排列着渗金铜铸的云凤花朵。这种华贵的檐子高五尺左右,深八尺,宽四尺左右,里面可乘坐六人,檐子的四面都悬挂着刺绣的横额和珍珠帘子,白色的藤蔓点缀着鲜花。檐子的框箱外面,两边的档壁高出栏槛的部位都雕刻着金花,装饰着雕刻的人物或神仙图案。抬檐子的两队兵士共十二人,抬竿前后都设置有绿丝绦,用金鱼钩子勾定。

## 皇后出乘舆

皇太后、皇后出乘者,谓之"舆"①。比檐子稍增广,花样皆龙,前后檐皆剪棕。仪仗与驾出相似而少,仍无驾头、警跸耳。士庶家与贵家婚嫁,亦乘檐子,只无脊上铜凤花朵。左右两军自有假赁②所在,以至从人衫帽、衣服从物,俱可赁,不须借措。馀命妇王宫士庶,通乘坐车子,如檐子样制,亦可容六人。前后有小勾栏,底下轴贯两挟朱轮。前出长辕约七八尺,独牛驾之,亦可假赁。

[注释]

①舆:古代的代步工具,用牲畜拉动的叫舆车,用人力抬行的叫肩舆。舆车在魏晋时已流行,有车厢,像轿子一样有盖有壁有门。《宋书·礼志五》:"魏晋御小出,常乘马,亦多乘舆车。舆车,今之小舆。"《南齐书·舆服志》亦记云:"舆车,一曰小舆,小行幸乘之。"肩舆在晋代也已经盛行。《晋书·

王导传》云:"会三月上巳,(元)帝亲观禊,乘肩舆,具威仪。"当时舆的制作,是用两根长竿,中间设软椅坐人。起初上面没有加盖,后来加覆盖遮蔽物,成为轿舆。这里所谓的皇太后、皇后乘坐的是舆车,因为后文说到它用"独牛驾之",而不是只用人抬。②假赁:租借。

[译文]

皇太后、皇后出行时乘坐的,叫做"舆"。比檐子稍宽大一些,上面雕绘的图案都是龙,前后顶檐上都有剪棕装饰。所用的仪仗同皇帝出行时的仪仗大体相似,只是人数少一些,而且没有驾头、警卫罢了。一般官员和百姓人家及权贵家族举行婚嫁大礼的时候,也可以乘坐檐子,只是没有主梁上的铜凤花朵而已。檐子左右两侧的护卫军士自有地方可以租用,甚至跟从的人役所穿戴的衣帽及有关用品,都可以租用,不须自己到处告借或筹办。其他的朝廷命妇、宫中宦官及一般官僚士大夫都乘坐车子,如同檐子的式样,也可容纳六人。车子前后有小勾栏,车子底下有一条长轴贯穿两边的朱红车轮。车子前边突出的车辕长约七八尺,用独牛驾着。这样的车和牛也都可以租用。

## 杂 赁

若凶事出殡,自上而下,凶肆各有体例。如方相①、车舆、结络、彩帛,皆有定价,不须劳力。寻常出街市干事,稍似路远倦行,逐坊巷桥市,自有假赁鞍马者,不过百钱。

[注释]

①方相:古代用来驱疫避邪的神像。《周礼·夏官·方相氏》即有记述。后来民间在办丧事时用竹条和纸扎制纸神像模型,在送葬时烧化,也叫方相。

[译文]

如果是遇有死了人要办丧事出殡,从上而下所需要的各种物品，在出售丧葬用品的店铺中都有一套现成的规程。如送葬的方相、车舆、结络、彩帛等，都各有定价，不须花费劳力去做。平常出门到外边办事，路程稍远步行嫌累的话，在所经过的街坊巷桥的集市上，自有租借马匹鞍具者，花费不过百钱就可以办到。

## 修整杂货及斋僧请道

倘欲修整屋宇，泥补墙壁，生辰忌日，欲设斋僧尼道士①，即早辰②桥市街巷口皆有木竹匠人，谓之杂货工匠，以至杂作人夫，道士僧人，罗立会聚，候人请唤，谓之"罗斋"。竹木作料，亦有铺席。砖瓦泥匠，随手即就。

[注释]

①设斋僧尼道士：即通常所谓的"斋僧"，也就是备斋饭施舍给僧人。自从佛教传入中国之后，六朝时候这种"斋僧"的活动就比较流行了。五代和北宋时期，朝廷或民间办理丧事时也要斋僧，这成为一种常规的做法。宋王溥《五代会要》卷四"忌日"一节云："每遇国忌行香，宰臣跪炉，僧人表赞……行香之后，斋僧一百人，永为定制。"②早辰：即早晨。"辰"是"晨"的通假字。

[译文]

如果要修缮房屋，泥补墙壁，或者生辰忌日，打算设斋请和尚、尼姑或道士做法事，就在早晨到桥头或街口的集市上去，那里都会有一些木竹匠人，叫做杂货工匠，甚至还有干杂活的小工，以及道士和僧人等，站在那里扎堆聚集，等候人们雇请，人们称他们为"罗斋"。所需要的竹木材料，也有店铺专卖。砖瓦泥匠等人，随手就可以招来。

## 筵会假赁

凡民间吉凶筵会,椅卓①陈设、器皿合②盘、酒檐③动使之类,自有茶酒司管赁。吃食下酒,自有厨司。以至托盘下请书、安排坐次。尊前执事、歌说劝酒,谓之"白席人"④。总谓之"四司人"⑤。欲就园馆亭榭寺院游赏命客之类,举意便办。亦各有地分,承揽排备,自有则例,亦不敢过越取钱。虽百十分,厅馆整肃,主人只出钱而已,不用费力。

[注释]

①卓:同"桌"。几案。②合:今写作"盒",盛物的器皿。③檐:通"担"字,挑。④白席人:北宋时北方民间办喜事或丧事在待客吃饭时,有一种人被雇请到宴席间进行唱礼服务,并且可以混一顿饭吃,称为"白席"或"白席人"。陆游《老学庵笔记》卷八记云:"北方民家吉凶辄有相礼者,谓之白席,多鄙俚可笑。"⑤四司人:北宋时达官显贵人家府中专门设有负责招待宾客举行宴会的办事人员,称为四司六局。耐得翁《都城纪胜·四司六局》记云:"官府贵家置四司六局,各有所掌,故筵席排当,凡事整齐,都下街市亦有之。常时人户每遇礼席,以钱倩之,皆可办也。"所谓四司为帐设司、厨司、茶酒司、台盘司。所谓六局为果子局、蜜煎局、菜蔬局、油烛局、香药局、排办局。这里所说的"四司人",包括茶酒司、厨司、托盘司和白席人,与《都城纪胜》所说略有不同。

[译文]

凡是民间有办喜事或办丧事的宴会,桌椅陈设、碗碟杯盘、酒水用品等物,自有茶酒司负责筹办或租用。菜肴饭食,自有厨司负责制作。还有托盘司负责下请帖、安排来宾的坐次。在宴席间服务、呼叫唱礼、向宾客巧言劝酒的,叫做"白席人"。以上总称为

"四司人"。如果要到园馆亭榭或寺院游玩赏景待命客之类的活动，想办就可以办到。这一类的服务，也各自划分有固定的地段，分别有人负责承办，而且有一定的成规，承办者也不敢过分地抬高价码。虽然花费不过百十分钱，但是所安排的厅馆整齐严肃，主人只不过出点钱而已，不用费力就可以顺心满意。

## 会仙酒楼

如州东仁和店①，新门里会仙楼正店，常有百十分厅馆，动使各各足备，不尚少阙②一件。大抵都人风俗奢侈，度量稍宽，凡酒店中不问何人，止两人对坐饮酒，亦须用注碗一副，盘盏两副，果菜碟各五片，水菜碗三五只，即银近百两矣。虽一人独饮，碗遂亦用银盂之类。其果子菜蔬，无非精洁。若别要下酒，即使人外买软羊、龟背、大小骨、诸色包子、玉板鲊、生削巴子、瓜姜之类。

[注释]

①仁和店：见卷二"酒楼"一节注④。②阙：同"缺"，缺少。

[译文]

著名的大酒店如城东旧宋门外的仁和店，新门里边的会仙楼正店，通常有百十豪华包间，所需要的设施一应齐全，一件也不缺少。大抵是因为京城里人们的风俗崇尚奢侈，消费宽裕，凡是来酒店里就餐的，不论是什么人，只要有两个人对面落座饮酒，也必须用注碗一副，盘盏两副，果菜碟子各五个，水菜碗三五个，这样就得花费将近百两纹银了。虽然是一个人来这里独自饮酒，碗碟也必须用银制的。所点的水果和菜肴，都是精品。如果还另加下酒菜，就派店里的人到外边的有关店铺里去买软羊、龟背、大小骨、各种馅的包子、玉板鲊、生削巴子、瓜姜之类的名牌菜品。

## 食店

　　大凡食店①，大者谓之"分茶"，则有头羹、石髓羹、白肉、胡饼、软羊、大小骨、角炙犒②腰子、石肚羹、入炉羊、罨生③、软羊面、桐皮面、姜泼刀、回刀、冷淘④、棋子、寄炉面饭之类。吃全茶，饶斋头羹。更有川饭店⑤，则有插肉面、大燠面、大小抹肉、淘煎燠肉、杂煎事件、生熟烧饭。更有南食店⑥，鱼兜子、桐皮熟脍面、煎鱼饭。又有瓠羹店，门前以枋木及花样启⑦结缚如山棚，上挂成边猪羊，相间三二十边。近里门面窗户，皆朱绿装饰，谓之"驩门"。每店各有厅院东西廊，称呼坐次。客坐，则一人执箸纸，遍问坐客。都人侈纵，百端呼索，或热或冷，或温或整，或绝冷、精浇、膘浇⑧之类，人人索唤不同。行菜⑨得之，近局⑩次立，从头唱念，报与局内。当局者谓之"铛头"，又曰"着案"。讫，须臾，行菜者左手权三碗，右臂自手至肩驮叠约二十碗，散下尽合各人呼索，不容差错。一有差错，坐客白之主人，必加叱骂，或罚工价，甚者逐之。吾辈入店，则用一等琉璃浅棱碗，谓之"碧碗"，亦谓之"造羹"，菜蔬精细，谓之"造齑"，每碗十文。面与肉相停⑪，谓之"合羹"；又有"单羹"，乃半个也。旧只用匙，今皆用箸矣。更有插肉、拨刀、炒羊、细物料棋子、馄饨店，及有素分茶，如寺院斋食也。又有菜面、胡蝶齑疙瘩，及卖随饭、荷包、白饭、旋切细料馉饳儿⑫、瓜齑、萝卜之类。

[注释]

　　①食店：即饭馆，客人入店可以坐下点饭菜酒水吃正餐的地方。②犒

（kào）：应作熇，俗作焅。③罨生："罨"为覆盖之意。苏轼《东坡集》续集卷十有《猪肉颂》，诗云："净洗铛，少着水，柴头罨烟焰不起。"此处谓"罨生"当是一种菜名，制作方法未详。④冷淘：即凉粉。⑤川饭店：即四川风味的饭馆。当时汴京城是京师，全国各种地方特色的饭店都有开张。⑥南食店：即南方风味的饭馆，主要是指岭南或东南沿海一带，其菜肴的品种中海产和鱼类较多。⑦启：原作"杏"，即"启"字，今径改为"启"。⑧精浇、臕浇：即今天所谓的臊子面，俗称捞面条上面浇卤为臊子，或写作燥子。臊子以瘦肉为主叫精浇，以肥肉为主叫臕浇。⑨行菜：饭馆里负责传送饭菜的人，一般为男性，小厮居多。⑩局：即饭馆里面做饭菜的操作间。⑪相停：各占一半的意思。⑫餶饳（gǔduò）儿：一种面食，似今之馄饨。周密《武林旧事》卷六"市食"一节有"鹌鹑餶饳儿"。

[译文]

说起京城里的饭馆，大饭馆叫做"分茶"，里面的著名饭菜有头羹、石髓羹、白肉、胡饼、软羊、大小骨、角炙熇腰子、石肚羹、入炉羊、罨生、软羊面、桐皮面、姜泼刀、回刀、冷淘、棋子、寄炉面饭之类。如果是吃全茶，要免费送一份斋头羹。还有四川饭馆，里面卖的有插肉面、大燠面、大小抹肉、淘煎燠肉、杂煎事件、生熟烧饭。还有南方风味的饭馆，饭菜有鱼兜子、桐皮熟脍面、煎鱼饭。还有瓠羹店，门前用枋木及各种花样图案扎成山棚模样，上面挂着半扇半扇的猪肉或羊肉，并排互相间隔有二三十扇之多。靠近里边的门面窗户，都是大红大绿的装饰，这叫做"驩门"。每个饭馆里各有厅院和东西走廊，按客人的要求安排座位。客人坐下之后，就有一个服务生走过来，拿着筷子和纸板，挨个地询问每一位客人要用些什么。京城里的人奢侈而放纵，对各种菜肴尽情地点要，或者热菜，或者凉菜，或者是加热的汤锅，或者是整鸡整鱼，或者是冰冻食品，或者是精肉臊子和肥肉臊子的打卤面等，人人点要的饭菜各不相同。传菜的小厮得到菜单，就走到里面的操作间旁边站定，把菜单上的饭菜名称一一唱念一遍，报告操作间里的厨师知道。操作间里的头儿叫做"铛头",又叫做"着案"。完了之后,不大一会儿,传菜的小厮左手枚着三个菜碗,右臂从手至肩依次叠放大约二十个碗,到座位边发给客人,和各人点要的饭菜都一一相符,不出一点差错。如果出现差错,坐客告诉饭馆的老板,老板一定会对传菜的小厮进行责骂,或者罚他的工钱,严重者要把他辞退。我等一行人来用餐,一进饭馆坐下,就给上来一套上等的琉璃浅棱碗碟,这叫做"碧碗",也叫做"造羹",菜蔬非常精细,叫做"造斋",每碗标价十文钱。面条和肉菜各半的,叫做"合羹";又有一种"单羹",是半份。以前饭馆里只用汤匙,如今都用筷子了。还有插肉、拨刀、炒羊、细物料棋子、馄饨店,以及有素分茶,就像寺院里的素斋饭一样。还有卖菜面、胡蝶齑疙瘩,以及卖随饭、荷包、白饭、旋切细料馉饳儿、瓜齑、萝卜之类的小馆子。

## 肉　行

坊巷桥市,皆有肉案,列三五人操刀。生熟肉从便索唤,阔切、片批、细抹、顿刀之类。至晚即有燠爆熟食上市。凡买物不上数钱,得者是数。

[译文]

坊巷桥头的集市上,都有卖肉的案子,排列着三五个人在那里操刀。或买生肉或买熟肉,随意购买,阔切、片批、细抹、顿刀之类的切法都行。到夜晚就又有燠爆熟食上市。凡是来买肉的都不先付钱,而是切下一份之后值多少钱就算多少钱。

# 饼 店

凡饼店有油饼店，有胡饼店。若油饼店，即卖蒸饼①、糖饼、装合②、引盘之类。胡饼店，即卖门油、菊花、宽焦、侧厚、油䭔③、髓饼、新样满麻。每案用三五人，捍剂卓花④入炉。自五更，卓⑤案之声，远近相闻。唯武成王庙前海州张家、皇建院前郑家最盛，每家有五十馀炉。

[注释]

①蒸饼：即炊饼。吴处厚《青箱杂记》卷二云："仁宗庙讳贞，语讹近蒸，今内庭上下皆呼蒸饼为炊饼。"宋仁宗名赵祯，避其讳而称蒸饼为炊饼，但是这种避讳不很严格，北宋中期以后一直有说蒸饼者，也有说炊饼者。《水浒传》中武大郎所卖的炊饼即是蒸饼。②合：今写作"盒"。③油䭔：一种油炸食品。"䭔"，原本作"碢"，即"䭔"字。④捍剂卓花："剂"，把和好的面切成一块一块的，每一块可做一个饼的面团，叫一剂。捍剂，就是把小面团擀开，供装馅。卓花，在做好的生面饼上点缀花色图案。⑤卓：见本卷"筵会假赁"一节注①。

[译文]

说起京城里的饼店，有油饼店，有胡饼店。如果是油饼店，就卖蒸饼、糖饼、装盒、引盘之类。如果是胡饼店，就卖门油、菊花、宽焦、侧厚、油䭔、髓饼、新样满麻等。每个案板上用三五个人，有人捍剂，有人卓花，然后入炉。从五更时候起，桌案的响声，远近都能听得到。只有武成王庙前海州张家、皇建院前郑家的生意最兴盛，每家有五十多座烤炉。

## 鱼 行

卖生鱼①则用浅抱桶②,以柳叶间串清水中浸,或循街出卖。每日早惟新郑门、西水门、万胜门,如此生鱼有数千檐③入门。冬月,即黄河诸远处客鱼④来,谓之"车鱼",每斤不上一百文。

[注释]

①生鱼:即活鱼。②抱桶:用木板靠拢加铁箍而围起来的桶。浅抱桶,即较宽较浅的桶,可用来盛水装鱼。③檐:"担"的通假字。量词,一百斤。④客鱼:贩卖过来的鱼。

[译文]

卖活鱼的商贩用浅抱桶,用柳条穿着鱼放在清水中浸泡着,或者沿街叫卖。每天早晨只有新郑门、西水门、万胜门,像这样的活鱼有数千担进入城门。冬季,就从黄河的各处较远的地方贩卖活鱼过来,叫做"车鱼",每斤鱼还不到一百文钱。

# 卷之五

## 民 俗

凡百所卖饮食之人，装鲜净盘合①器皿，车檐②动使，奇巧可爱。食味和羹，不敢草略。其卖药卖卦，皆具冠带。至于乞丐者，亦有规格。稍似懈怠，众所不容。其士农工商，诸行百户，衣装各有本色，不敢越外。谓如香铺裹香人，即顶帽披背；质库掌事，即着皂衫、角带，不顶帽之类。街市行人，便认得是何色目。加之人情高谊，若见外方之人为都人凌欺，众必救护之。或见军铺收领到斗争公事，横身劝救，有陪酒食檐③官方救之者，亦无惮也。或有从外新来邻左居住，则相借措动使，献遗汤茶，指引买卖之类。更有提茶瓶④之人，每日邻里互相支茶，相问动静。凡百吉凶之家，人皆盈门。其正酒店户，见脚店三两次打酒，便敢借与三五百两银器。以至贫下人家，就店呼酒，亦用银器供送。有连夜饮者，次日取之。诸妓馆只就店呼酒而已，银器供送，亦复如是。其阔略大量，天下无之也。以其人烟浩穰，添十数万众不加多，减之不觉少。所谓花阵酒池，香山药海。别有幽坊小巷，燕馆歌楼，举之万数，不欲繁碎。

[注释]

①合：今写作"盒"。②③檐："担"的通假字。④提茶瓶：在茶坊提茶瓶为顾客提供茶水服务并且兼做传递消息等工作的人员。耐得翁《都城纪胜·茶坊》云："提茶瓶，即是趁赴充茶酒人，寻常月旦望，每日与人传语往还，或讲集人情分子。"

[译文]

凡是各处卖饮食的商贩，都用新添置的干净盘盒器皿盛装食品，推车卖的或担挑卖的各种物件，都新奇而精巧，非常可爱。吃食以及汤汁饮料等，都不敢过于随意而简单。那些卖药的、卖卦的，都各自穿着一套冠带。至于那些乞丐，也各有一定的规矩。稍有懈怠，众人都不能容许。那些士农工商各行各业人员的着装，各有固定的样式，不能随便超越常规。比如香铺里的裹香人，就戴帽子，并有披肩；质库里的掌事，就穿黑色长衫，扎系角带，不戴帽子。街市上的行人，从他们的衣着打扮就能认出他们是干什么的。再加上京城里的人重视人情和友谊的因素，如果看见外地人被京城里的人欺负，大伙一定要出面救护他。或者是遇上值班禁军接手处理民事纠纷事件，民众也有人挺身上前劝解或救援，甚至有陪着酒食请官方做主来进行解救的，也不怕麻烦。或者有人从外地刚来到京城住，和原来某住户为邻居，那原来的某户就主动帮助他办事，或者给他端茶送水，或者为他指点应当做些什么买卖等。还有那种提茶瓶的人，每天在邻里之间互相送茶，帮助打探有关事情。凡是有遭遇各种喜事或丧事的人家，邻里人等都会涌到他家门前相帮。那种高档的大酒店，遇着与之有业务往来的分支小店来酒店买过三两次酒的，就敢于非常放心地把价值三五百两银子的银质盛酒器皿借给他。以至于有较为贫苦的下层平民向酒店要酒菜在家中待客饮酒，酒店也用银质的杯盘送酒菜上门。对于那些连夜饮酒的人家，第二天才把杯盘取回来。各个妓院里的客人只管向酒店索要酒菜就行了，用银质杯盘送酒菜上门，也和上面的情况一样。这种阔绰大度的经营方式，真是天下少有。因为汴京城里人烟稠密繁华，添十几万人不觉得多，减十几万人不觉得少。真可谓是花阵酒池、香山药海啊。另外，那些背街小巷，也有各种较小一些的饭馆、歌厅之类，列举起来成千上万，这里不想一一介绍了。

## 京瓦伎艺

崇、观以来，在京瓦肆伎艺：张廷叟、孟子书①。主张小唱②，李师师③、徐婆惜、封宜奴、孙三四等。诚其角者嘌唱④弟子，张七七、王京奴、左小四、安娘、毛团等。教坊减罢并温习⑤，张翠盖、张成，弟子薛子大、薛子小、俏枝儿、杨总惜、周寿⑥、奴称心等。般杂剧杖头傀儡⑦，任小三，每日五更头回小杂剧，差晚看不及矣。悬丝傀儡，张金线、李外宁⑧。药发傀儡，张臻妙、温奴哥、真个强、没勃脐。小掉刀、筋骨上索杂手伎，浑身眼、李宗正、张哥。球杖踢弄，孙宽、孙十五、曾无党、高恕、李孝详。讲史⑨，李慥、杨中立、张十一、徐明、赵世亨、贾九。小说⑩，王颜喜、盖中宝、刘名广。散乐⑪，张真奴。舞旋，杨望京。小儿相扑⑫、杂剧、掉刀、蛮牌，董十五、赵七、曹保义、朱婆儿、没困驼、风僧哥、俎六姐。影戏⑬，丁仪、瘦吉等，弄乔影戏。刘百禽，弄虫蚁⑭。孔三传、耍秀才、诸宫调⑮。毛详、霍伯丑，商谜⑯。吴八儿，合生⑰。张山人，说诨话⑱。刘乔、河北子、帛遂、胡牛儿、达眼五、重明乔、骆驼儿、李敦等，杂班⑲。外入孙三神鬼，霍四究说"三分"，尹常卖"五代史",文八娘叫果子[20]。其馀不可胜数。不以风雨寒暑,诸棚看人,日日如是。教坊钧容直[21],每遇旬休按乐,亦许人观看。每遇内宴前一月,教坊内勾集弟子小儿,习队舞,作乐,杂剧节次。

[注释]

①孟子书:此三字的意思不明确,当代人们的理解也有歧义。或认为"孟子书"是讲述孟子故事的评书;或者认为"孟子书"和"张廷叟"并列,是人名。造成歧义的关键在于以下的"主张"二字意义不详。中华书局出版的邓之诚注本把"主张"二字断在上句,为"张廷叟孟子书主张",意义也不明朗。如果把"主张"二字解释为"张廷叟和孟子书二人的看法和观点",即以下对京城伎艺诸家的评议,也似乎不妥。因而疑此处有误字或错字。这里,姑且把"孟子书"解释为讲述孟子故事的评书,"主张"二字暂且存疑。②小唱:在酒宴前唱小曲者,或者清唱,或者有一人用乐器伴奏。耐得翁《都城纪胜·瓦舍众伎》云:"唱叫小唱,谓执板唱慢曲曲破。大率重起轻杀,故曰浅斟低唱。"③李师师:北宋徽宗时汴京名妓,曾得幸于徽宗,也曾和周邦彦等著名文士交好。宋代不少文人笔记都记载有李师师的轶事,小说《水浒传》中也有关于她的描写。张端义《贵耳集》卷下记宋徽宗幸李师师家时,适逢周邦彦也在那里,见圣上驾到,李师师急忙让周邦彦躲到床底下,周邦彦得以听到徽宗和李师师欢会的情形。这一故事,有文人渲染的痕迹,未必完全属实。《梦华录》所记的李师师,即是曾得幸于徽宗的李师师。④诚其角者嘌(piāo)唱:"诚其角者",意思费解。"诚其"二字疑是"都城"二字之误。因本书卷之九"宰执亲王宗室百官入内上寿"一节中,"第七盏,御酒"一段有"皆都城角者"一句,可参照。"嘌唱",歌曲中曲折引长其声的一种唱法。程大昌《演繁露》卷九云:"凡今世歌曲,比古郑卫又为淫靡,近又即旧声而加泛滟者,名曰嘌唱。"耐得翁《都城纪胜·瓦舍众伎》云:"嘌唱,谓上鼓面唱令曲小词,驱驾虚声,纵弄宫调,与叫果子、唱耍曲儿为一体。本只街市,今宅院往往有之。""嘌"字的本义为"急速",《诗经·桧风·匪风》云"匪风飘兮,匪车嘌兮",前人注解说:"嘌嘌,无节度也。"据此种种解释,嘌唱大抵是指近乎淫靡的通俗唱法。⑤减罢并温习:意义不明,疑是指教坊司

里的歌舞音乐艺人的身份。⑥周寿：或为崔上寿。本书卷之七"驾登宝津楼诸军呈百戏"一节有"薛子大、薛子小、杨总惜、崔上寿之辈"。两处的周寿和崔上寿当是一个人，其名必有一讹。⑦般杂剧杖头傀儡："般杂剧"，即搬演杂剧。"般"即是"搬"的通假字。"傀儡"，即木偶戏，世俗或称之为扁担戏。根据其傀儡人物的制作和表演方式的不同，又可分为杖头傀儡（用竖杆支起小舞台人在里边用手操纵傀儡表演）、悬丝傀儡（人在幕后用提线操纵傀儡表演）、药发傀儡（有火药引发的傀儡表演）、水傀儡（艺人在水中进行表演）、肉傀儡（用小孩扮作傀儡进行表演）等。这里若把"般杂剧杖头傀儡"连起来理解，似指搬演杂剧故事的杖头傀儡表演。⑧李外宁：自此三字以下的断句颇为繁难，今人的看法各有不同。或谓"李外宁"应和下文"药发傀儡"相连，因为本书卷之六"元宵"一节有"李外宁药发傀儡"一句。然而中华书局出版的邓之诚注本认为，本书卷之七"池苑内纵人关扑游戏"一节又有"李外宁水傀儡"一句，即是说李外宁的伎艺不止一种，药发傀儡和水傀儡都可以表演。既然如此，他和张金线一起表演悬丝傀儡也是不错的。这里暂且按照邓之诚的断句方法处理，从李外宁起以下各句的读法为伎艺在前、人名在后；而到"瘦吉等，弄乔影戏"以下时，读法为人名在前、伎艺在后。⑨讲史：演说历史故事的评书。耐得翁《都城纪胜·瓦舍众伎》云："讲史书，讲说前代书史文传、兴废争战之事。"⑩小说：主要演说当时世俗传奇故事的评书。明郎瑛《七修类稿》卷二十二云："小说起宋仁宗，盖时太平盛久，国家闲暇，日欲进一奇怪之事以娱之。故小说得胜，头回之后即云话说赵宋某年。"而查宋人笔记，小说也演说历史故事，但它和"讲史"的区别在于，小说更主要是演说传说和虚构的故事，而讲史主要演说历史上的真实故事。⑪散(sǎn)乐：古代的舞乐名。原指周代民间乐舞，包括俳优歌舞杂奏等，因不在官乐之内，故称为散乐。历代都有散乐，宋代亦然。赵彦卫《云麓漫钞》卷十二云："今人呼路岐人乐为散乐。"而路岐人是宋元时对民间艺人的称呼，即不在官家乐队的在野乐人，其所演奏的舞曲即是散乐。⑫相扑：即古代所谓的角抵，当代称摔跤，是我国历史上一种传统的体育项目。吴自牧《梦粱录》卷二十"角抵"记云："角抵，相扑之异名也，又谓之争交。"⑬影戏：古代的一种用灯光照物显影而进行的戏曲表演，用手显影称为手影戏，用剪纸或皮

京瓦伎艺

革制作的人物显影称为皮影戏。耐得翁《都城纪胜·瓦舍众伎》云："凡影戏乃京师人初以素纸雕镞，后用彩色装皮为之。其话本与讲史书者颇同，大抵真假相半，公忠者雕以正貌，奸邪者与之丑貌，盖亦寓褒贬于市俗之眼戏也。"⑭弄虫蚁：耍弄小动物进行表演的娱乐形式，如耍弄小鸟、乌龟、蝇虎（蜘蛛）、虾蟆等。这些小把戏在宋代比较流行，陶宗仪《辍耕录》卷二十二记述有他在杭州看到的禽虫表演。⑮诸宫调：宋金元时期说唱艺术的一种。其形式是把同一个宫调中的许多曲子连成一套，再把若干不同宫调的套曲连在一起演唱故事。表演时讲唱相间，以唱为主，因用琵琶等乐器伴奏，故又被称为"挡弹词"。据王灼《碧鸡漫志》等书记载，诸宫调的唱法是北宋末民间艺人孔三传创造的。耐得翁《都城纪胜·瓦舍众伎》云："诸宫调本京师孔三传编撰，传奇、灵怪、八曲、说唱。"诸宫调对元杂剧曲牌联套的体制有直接的影响。⑯商谜：宋代京城里说话人的伎艺名称，大抵是用猜谜的形式聚集听众和看客。耐得翁《都城纪胜·瓦舍众伎》云："商谜，旧用鼓板吹《贺圣朝》，聚人猜诗谜、字谜、戾谜、社谜，本是隐语。"吴自牧《梦粱录》卷二十"小说讲经史"一节亦云："商谜者，先用鼓儿贺之，然后聚人猜诗谜、字谜、戾谜、社谜，本是隐语。"⑰合生：宋代京城里说话人的一个流派，大抵是艺人当场指物赋诗，也叫唱题目。其中内容滑稽又有讽劝意味的，叫做乔合生。耐得翁《都城纪胜·瓦舍众伎》云："合生与起令、随令相似，各占一事。"周密《武林旧事》卷六"诸色伎艺人"写作"合笙"。⑱说诨话：即讲笑话使人发笑。诨话就是使人发笑的话。宋陈鹄《耆旧续闻》卷三云："元丰末东坡赴阙，道出南都……坡至都下，就宋氏借本看。宋氏诸子不肯出，谓东坡滑稽，万一摘数语作诨话，天下传为口实矣。"这里的"说诨话"是北宋末年京城里艺人表演的一种形式。⑲杂班：即杂剧表演的散段。耐得翁《都城纪胜·瓦舍众伎》云："杂扮或名杂班，又名纽元子，又名技和，乃杂剧之散段。在京师时，村人罕得入城，遂撰此端，多是借装为山东河北村人，以资笑。今之打和鼓、捻梢子、散耍皆是也。"⑳叫果子：宋代京城中伎艺表演的一种，大抵是模仿市井中小贩的叫卖声，拖长声音进行演唱并配有音乐，也叫吟叫。高承《事物纪原》卷九云："市井初有叫果子之戏。其本盖自至和、嘉祐之间，叫紫苏丸洎乐工杜人经十叫子始也。京师凡卖一物，必有声韵，其吟哦俱不同。

故市人采其声调，间以词章，以为戏乐也。今盛行于世，又谓之吟叫也。"㉑

钩容直：即军乐。马端临《文献通考》卷一四六"乐考十九"云："钩容直者，军乐也。"又高承《事物纪原》卷二引《宋朝会要》云："太平兴国三年诏籍军中之善乐者，命曰引龙直，每巡省游幸，则骑导车驾而奏乐。……淳化三年，改名钩容直。"

[译文]

宋徽宗崇宁、大观以来，在京城各瓦肆里的伎艺表演主要有：张廷叟，讲述孟子故事的评书。小唱名角有李师师、徐婆惜、封宜奴、孙三四等。京城里著名的嘌唱弟子有张七七、王京奴、左小四、安娘、毛团等。教坊司的减罢及温习等人中著名者有张翠盖、张成，以及其弟子薛子大、薛子小、俏枝儿、杨总惜、周寿（或为崔上寿）、奴称心等。搬演杂剧的杖头傀儡表演有任小三，每天五更时就开始表演小杂剧，如果去得晚了就看不到了。悬丝傀儡表演有张金线、李外宁。药发傀儡表演有张臻妙、温奴哥、真个强、没勃脐。小掉刀、筋骨上索杂手伎等表演有浑身眼、李宗正、张哥。球杖踢弄表演有孙宽、孙十五、曾无党、高恕、李孝详。讲史类评书有李慥、杨中立、张十一、徐明、赵世亨、贾九。小说类评书有王颜喜、盖中宝、刘名广。散乐演唱有张真奴。舞旋表演有杨望京。小儿相扑、杂剧、掉刀、蛮牌等表演有董十五、赵七、曹保义、朱婆儿、没困驼、风僧哥、俎六姐。弄影戏表演有丁仪。还有瘦吉等表演弄乔影戏，刘百禽表演弄虫蚁，孔三传表演耍秀才、诸宫调。毛详、霍伯丑说商谜。吴八儿说合生。张山人说诨话。刘乔、河北子、帛遂、胡牛儿、达眼五、重明乔、骆驼儿、李敦等，表演杂班。另外还有孙三表演神鬼，霍四究说"三国故事"评书，尹常卖说"五代史"评书，文八娘表演叫果子。其余的各种伎艺不可胜数。不论是刮风下雨、热天冷天，各个戏棚里都挤满了观众，每天都是这样。教坊司和军乐队，每逢遇到旬休日就到外边演唱奏乐，也允许百姓们观看。每逢皇宫中举行内宴的前一个月，教坊司还要组织学员们演习队舞，并且奏乐，表演杂剧节目。

## 娶 妇

凡娶媳妇，先起草帖子①，两家允许，然后起细帖子，序三代名讳，议亲人有服亲田产官职之类。次檐②许口酒，以络盛酒瓶，装以大花八朵、罗绢生色或银胜八枚，又以花红缴檐上，谓之"缴檐红"，与女家，女家以淡水二瓶、活鱼三五个、箸一双，悉送在元③酒瓶内，谓之"回鱼箸"。或下小定、大定④，或相媳妇与不相。若相媳妇，即男家亲人或婆往女家看中，即以钗子插冠中，谓之"插钗子"；或不入意，即留一两端彩段，与之压惊，则此亲不谐矣。其媒人有数等。上等戴盖头⑤，着紫背子⑥，说官亲宫院恩泽。中等戴冠子，黄包髻，背子，或只系裙，手把青凉伞儿。皆两人同行。下定了，即旦望媒人传语。遇节序，即以节物头面羊酒之类追女家，随家丰俭。女家多回巧作之类。次下财礼，次报成结日子，次过大礼。先一日或是日早，下催妆冠帔花粉，女家回公裳花幞头之类。前一日，女家先来挂帐，铺设房卧，谓之"铺房"。女家亲人有茶酒利市之类。至迎娶日，儿家以车子或花檐子发迎客，引至女家门。女家管待迎客，与之彩段，作乐催妆上车。檐从人未肯起，炒咬利市⑦，谓之"起檐子"，与了然后行。迎客先回至儿家门，从人及儿家人乞觅利市钱物花红等，谓之"拦门"。新妇下车子，有阴阳人⑧执斗，内盛谷豆钱果草节等，咒祝，望门而撒，小儿辈争拾之，谓之"撒谷豆"，俗云厌青羊等杀神也。新人下车檐，踏青布条或毡席,不得踏地。一人捧镜倒行,引新人跨鞍蓦草及秤上过,入门,于一室内当中悬帐,谓之"坐虚帐"。或只径入房中,坐于床上,亦谓之"坐富贵"。其送女客,急三盏而退,谓之"走送"。众客就筵三杯之后,婿具公裳花胜①簇面,于中堂升一榻,上置椅子,谓之"高坐"。先媒氏请,次姨氏或妗氏请,各斟一杯饮之;次丈母请,方下坐。新人门额,用彩一段,碎裂其下,横抹挂之,婿入房,即众争扯小片而去,谓之"利市缴门红"。婿于床前请新妇出,二家各出彩段,绾一同心,谓之"牵巾"。男挂于笏,女搭于手,男倒行出,面皆相向,至家庙前参拜。毕,女复倒行,扶入房讲拜。男女各争先后对拜毕,就床,女向左、男向右坐,妇女以金钱彩果散掷,谓之"撒帐"。男左女右,留少头发,二家出匹段、钗子、木梳、头须之类,谓之"合髻"。然后用两盏以彩结连之,互饮一盏,谓之"交杯酒"。饮讫,掷盏并花冠子于床下,盏一仰一合,俗云"大吉",则众喜贺。然后掩帐讫。宫院中即亲随人抱女婿去,已下人家即行出房,参谢诸亲,复就坐饮酒。散后,次日五更,用一桌,盛镜台、镜子于其上,望堂展拜,谓之"新妇拜堂"。次拜尊长亲戚,各有彩段、巧作、鞋袜等为献,谓之"赏贺"。尊长则复换一匹回之,谓之"答贺"。婿往参妇家,谓之"拜门"。有力能趣办,次日即往,谓之"复面拜门",不然,三日七日皆可,赏贺亦如女家之礼。酒散,女家具鼓吹从物,迎婿还家。三日,女家送彩段油蜜蒸饼,谓之"蜜和油蒸饼"。其女家来作会,谓之"暖女"。七日则取女归,盛送彩段头面与之,谓之"洗头"。一月则大会相庆,谓之"满月"。自此以后,礼数简矣。

[注释]

①草帖子:古代议婚的程序中,经媒人说合之后先写成的书面契约,男

家、女家各写一份,上面写明家庭中三代的姓氏、官职及田产等。下帖子共有两次,第一次写得较简略,叫草帖子;第二次写得较详细一些,叫细帖子。②檐:即"担"的通假字。以下"缴檐"、"花檐"、"檐从人"、"起檐子"、"车檐"等皆同此。③元:原来的。④小定、大定:古代议婚程序中,下彩礼称为下定。下彩礼一般分两次,第一次叫"纳彩",初步定下联姻意向,称为小定;第二次叫"纳币",确定结婚的日期,称为大定。⑤盖头:古代妇女所戴的一种头巾,或称为幪头。这里是指上等媒人所戴的那种比较高档的头巾。⑥背子:古代服装的一种样式,即只遮挡前胸和后背,而没有袖子,又称为"半臂"。相当于今天所谓的坎肩、马甲之类。这里是指媒人所穿的那种紫色的坎肩。⑦炒咬利市:炒,同"吵"。炒咬利市,是说抬新人的轿夫们喧嚷着要喜钱。⑧阴阳人:以占卜、看相、测风水等事项为职业的术士,或称阴阳家、阴阳先生。古代在举办婚礼时也往往要请这样的人来担当一定的角色。⑨花胜:本义是古代妇女所戴的花形首饰。剪彩为之。这里是在婚礼上新郎官头上戴的花胜,与平时女子所戴的花胜有所不同。这种规矩在北宋时比较流行,但也有人不太赞成。司马光《书仪》卷三"婚仪上"云:"世俗新婿盛戴花胜,拥蔽其首,殊失丈夫之容体。必不得已,且随俗戴花一两枝、胜一两枚可也。"

[译文]

凡是要娶媳妇的,首先要写一份草帖子,男女双方家庭都同意了,然后再写一份细帖子,帖子上写明家中上下三代人的名字,定亲的当事人的身份、田产及官职等。接着要备一担许口酒,用花络罩着酒瓶,再装饰大花八朵以及彩色罗绢或银白色的花胜八个,也要用花红缠系在担子上,这叫做"缴担红",给女方家中送过去。女方家庭用淡水两瓶、活鱼三五个、筷子一双,都放进男方家送来的原酒瓶中,这叫做"回鱼箸"。然后再商议什么时候下小定、什么时候下大定,以及是不是要亲自相看一下媳妇。如果要相看媳妇,就让男方家里的一位亲人或未来的婆婆到女方家里去看,看中了,就用一支钗子插到媳妇的帽子上,这叫做"插钗子";如果没有看中,就留下一两块彩缎,为女方压惊,这就说明亲事不成了。

说亲的媒人有几等。上等媒人头戴盖头，身穿紫色坎肩，专门为官宦人家、官廷里的显贵人家以及与皇家沾亲带故的那些有地位的人家说亲。中等媒人戴帽子，或用黄布包髻，身穿坎肩，或者只系一件裙子，手里拿着一把青凉伞儿。媒人都必须是两人同行。男方下定之后，从第二天起就靠媒人在两家中间传话。遇着一年当中的节日，就用过节的代表性礼品以及羊肉和酒水之类送往女方家中，这要根据男方家庭的经济状况，随意就行。女方家庭要回赠一些家做的食品或小礼物之类。接着就是正式下财礼，再接着就是确定成婚的日子。再后是过大礼，提前一天或者是当天早上，男方家送来催妆的冠帔和花粉等，女方家要回送一套公服及花幞头之类。结亲的前一天，女方家要派人到男方家挂帐子，在新房铺设床上用品，这叫做"铺房"，男方家要对来铺房的女方家亲人给予茶酒招待和喜钱等。到迎娶的那天，男方家的迎亲车或花轿出发，组成一支热闹的迎亲队伍，来到女方家门前。女方家招待这支迎亲队伍，给他们送上彩缎，奏乐催妆，新娘上了车或花轿，车夫或轿夫们却不肯动身，嚷嚷着要喜钱，这叫做"起担子"，给了钱他们才肯起步。迎亲队伍回到男方家门前，跟随的人以及男方的亲友们都乱哄哄地要赏钱或者花红等，这叫做"拦门"。新娘下了车或轿，有一位阴阳先生手里拿着一只斗，斗里盛的是谷子、黄豆、铜钱及果物等，口中念念有词，抓起这些东西向门前抛撒，小孩子们争先抢拾，这叫做"撒谷豆"，世俗认为这样做可以镇住青羊等杀神。新娘下了车或轿，脚踏着青布条或者毡席，不能踩到土地上。这时有一人捧着一面镜子倒退着行走，引领新娘从马鞍、草垫及秤上跨过，进了门，在屋内设一顶帐子，让新娘在帐子里暂坐，这叫做"坐虚帐"。或者让新娘径直进入新房中坐在床上，也叫做"坐富贵"。女方家送女过门的客人们，每人快饮三杯酒就告辞，这叫做"走送"。前来贺喜的众宾客在宴席就座，饮过三杯之后，新郎身穿礼服，头戴花胜，满面春风，在中堂登上一个木榻，木榻上放置一把椅子，这叫做"高坐"。先请媒人过来，再请姨娘或妗子这些长辈过来，各斟一杯请她们饮了；再请丈母娘过来敬上一杯，才下坐。新房的门额横楣，用一块花布，下边撕裂成一条一条的，横挂上边，新郎进入洞房，贺喜的客人们就争先撕扯一缕花布而去，这叫做"利市缴门红"。新郎在床前请新娘出来，两家各拿出一块彩缎，绾成一个同心结，这叫做"牵巾"。新郎把这巾挂在笏板上，新娘把巾搭在手上，新郎倒退着出门，新娘和他面对面，一同到家庙前参拜。完了之后，新娘倒退而出，被人挽扶着到新房中进行互拜礼。新郎、新娘各分先后对拜之后，就到床上去，新娘面向左坐着，新郎面向右坐着，妇女们用金钱彩果往床上抛撒，这叫做"撒帐"。接着，男在左女在右，各自取过来一缕头发，两家人拿出缎带、钗子、木梳、头须之类，给他们扎系在一起，这叫做"合髻"。然后拿过来两个酒杯，用彩带连接在一起，新郎和新娘互饮一盏酒，这叫做"交杯酒"。饮罢之后把酒杯连同花冠子一起扔到床下，如果酒杯一个仰着一个扣着，按照风俗这叫"大吉"，于是众人连忙道喜。然后才把床帐掩上。这时院子里有亲随的人抱持女婿到外边，其他人等也都离开新房，同各位亲友见礼，表示谢意，之后都坐下来饮酒。酒宴散场之后，第二天五更时，用一张桌子，把镜台、镜子等摆放在上面，对着中堂行拜礼，这叫做"新妇拜堂"。接着拜谢各位尊长和亲戚，对他们各赠送一份花布、小制作或鞋袜等作为礼品，这叫做"赏贺"。被答谢的尊长们则另换一块布回赠，这叫做"答贺"。女婿到岳父岳母家去答礼，这叫做"拜门"。有力量能够马上去办的，第二天就要前往，这叫做"复面拜门"，不然的话，过三天或七天也都是可以的，送给岳家的礼品也都和女方家所送礼品相同。岳家的酒宴散场之后，准备着鼓乐班子及需用物件，送女婿归家。第三天，岳家要派人送彩缎、油蜜、蒸饼到男方家，这叫做"蜜和油蒸饼"。娘家人到婿家来送礼,这叫做"暖女"。第七天要接女儿回娘家,或者送来一些彩缎、头饰等礼物给女儿,这叫做"洗头"。一月之后则举行一次大庆贺,这叫做"满月"。从此以后,相关的礼数就简化了。

# 育 子

凡孕妇入月,于初一日,父母家以银盆,或鋜①或彩画盆,盛粟秆一束,上以锦绣或生色帕复盖之。上插花朵及通草,帖罗五男二女花样,用盘盒装送馒头,谓之"分痛"。并作眠羊、卧鹿、羊生②果实,取其眠卧之义,并牙儿衣物绷③籍等,谓之"催生"。就蓐分娩讫,人争送粟米炭醋之类。三日落脐灸囟④。七日谓之"一腊"。至满月则生色及绷绣钱,贵富家金银犀玉为之,并果子,大展洗儿会。亲宾盛集,煎香汤于盆中,下果子彩钱葱蒜等,用数丈彩绕之,名曰"围盆"。以钗子搅水,谓之"搅盆"。观者各撒钱于水中,谓之"添盆"。盆中枣子直立者,妇人争取食之,以为生男之征。浴儿毕,落胎发,遍谢坐客,抱牙儿入他人房,谓之"移窠"。生子百日,置会,谓之"百晬"⑤。至来岁生日,谓之"周晬",罗列盘盏于地,盛果木、饮食、官诰、笔砚、算秤等,经卷、针线应用之物,观其所先拈者,以为征兆,谓之"试晬"。此小儿之盛礼也。

[注释]

①鋜:本义为金,这里当是指金属盆。②羊生:意义不明,疑有误字。③绷:原作"繃",即小儿包被,与"襁褓"义同。④灸囟(xìn):囟,即初出生的小儿头顶前方颅骨未长严的地方。古时候流行的规矩,是在小儿初出生的第三天用中医的灸法给小儿处理一下,叫灸囟。⑤晬(zuì):古时的一种风

俗。小儿出生百天叫"百晬",一周岁叫"周晬",要举行一定的仪式。在周晬时,用盘盛放纸、笔、刀、剑等物,让小儿抓取,用来预测小儿将来长大后的志趣,这叫"试晬",盛物之盘称为"晬盘"。

**[译文]**

凡是孕妇到了分娩的月份,在初一日那天,其父母家中要用银盆,或者用金属盆或者用彩画盆,盆中盛放着粟秆一束,上面用锦绣或者彩色巾帕覆盖着,上面插着花朵及通草,以及用帖罗扎制成的五男二女花样,另外还要用一个盘盒盛装着馒头送过来,这叫做"分痛"。并且扎制眠羊、卧鹿等模型,取其眠卧的意思,还备有小孩子的衣物包被等,这叫做"催生"。到了产期分娩之后,家人及亲戚争先送来小米、木炭和醋等物品。第三天,要为小孩褪掉脐带,用灸法灸一次囟门。第七天叫做"一腊"。到满月的时候,就用彩色布、花线及铜钱等,贵富人家就用金银、犀角或美玉为礼品,还有一些水果,举行一次盛大的"洗儿会"。这时有亲戚朋友一齐来聚会,烧一大盆热水,放进去一些果子、铜钱及葱蒜等,用几丈长的彩布围绕着,这叫做"围盆"。这时还要用钗子搅动盆中的水,这叫做"搅盆"。旁边观看的人各自把铜钱撒到水里,这叫做"添盆"。水盆中撒进去的红枣如果有直立着的,妇女们就争先捞取吃了,认为这是生男孩的征兆。把小儿洗浴完毕,为小孩剪落胎发,对来宾一一道谢,之后抱着这小孩到别人家的屋子里去,这叫做"移窠"。到孩子百天时,还要置办一次宴会,叫做"百晬"。到第二年生日这天,叫做"周晬",这时要在地上摆放一些盘盏,盘中盛放着果木、饮食、官诰、笔砚、算秤等,还有一些经卷或针线等日常应用的东西,让小孩抓取,观察他先抓什么,来预测他将来长大之后的志趣,叫做"试晬"。这些做法,都是为小孩子举行的盛大典礼啊。

# 卷之六

## 正 月

正月一日年节，开封府放关扑①三日。士庶自早，互相庆贺，坊巷以食物、动使、果实、柴炭之类，歌叫关扑。如马行，潘楼街，州东宋门外，州西梁门外踊路，州北封丘门外及州南一带，皆结彩棚，铺陈冠梳、珠翠、头面、衣着、花朵、领抹②、靴鞋、玩好之类。间列舞场歌馆，车马交驰。向晚，贵家妇女纵赏关赌，入场观看，入市店饮宴，惯习成风，不相笑讶。至寒食冬至三日③亦如此。小民虽贫者，亦须新洁衣服，把酒相酬尔。

[注释]

①关扑：古代的一种赌戏名，北宋时期很流行。苏轼《乞不给散青苗钱斛状》云："又官吏无状，于给散之际，必令酒务鼓乐倡优或关扑卖酒牌子，农民至有徒手而归者。"（《东坡集》续集"奏议"三）本节中下文"关赌"，即是关扑。②抹（mò）：原本作"抺"，当是"抹"字之误。参见卷之二"东角楼街巷"注②。③寒食冬至三日：北宋官方规定，每一年当中的元宵节、冬至和寒食节这三大节要各放假七日。王楙《野客丛书》卷十六云："国家官

私以冬至、元正、寒食三大节为七日假,所谓前三后四之说。"这里说"寒食冬至三日",可能是北宋后期又改为三日假期,或者是《东京梦华录》在此记述有误。

[译文]

正月初一是大年节,开封府下令让民众纵情关扑三天。官员及百姓家庭从一早就互相庆贺,大街小巷里到处都有人用食物、小物件、果实、柴炭等东西,唱着叫着进行关扑。如马行街,潘楼街,城东的宋门外,城西的梁门外踊路,城北的封丘门外及城南一带,都搭了彩棚,铺设着冠梳、珠翠、头面、衣着、花朵、领抹、靴鞋、玩具之类的货物。其间也有舞场和歌馆,车马交相奔驰。到了夜晚,贵家的女眷们也出来纵情地观赏关赌(即关扑)的场景,有的还进到场子里面观看,或者进入街市饭店里吃喝,这种习惯已成为风气,互相之间谁也不笑话谁。到寒食节和冬至的三天假期里也都是这样。普通百姓虽然贫穷一些,也必须穿上崭新干净的衣服,举杯饮酒互相庆贺。

## 元旦朝会

正旦大朝会,车驾坐大庆殿①。有介胄长大人四人,立于殿角,谓之"镇殿将军"。诸国使人入贺,殿庭列法驾仪仗,百官皆冠冕朝服。诸路举人解首亦士服立班,其服二量冠②,白袍青缘。诸州进奏吏,各执方物入献。诸国使人:大辽大使顶金冠,后檐尖长,如大莲叶,服紫窄袍,金蹀躞③;副使展裹金带,如汉服。大使拜则立左足,跪右足,以两手着右肩为一拜;副使拜如汉仪。夏国使副,皆金冠,短小样制,服绯窄袍,金蹀躞,吊敦背,叉手展拜。高丽与南番交州使人,并如汉仪。回纥皆长髯高鼻，以匹帛缠头，散披其服。于阗皆小金花毡笠，金丝战袍，束带，并妻男同来，乘骆驼，毡兜铜铎入贡。三佛齐④皆瘦脊⑤，缠头，绯衣上织成佛面。又有南蛮五姓番，皆椎髻乌毡，并如僧人礼拜入见，旋赐汉装锦袄之类。更有真腊⑥、大理、大食等国，有时来朝贡。其大辽使人在都亭驿，夏国在都亭西驿，高丽在梁门外安州巷同文馆，回纥、于阗在礼宾院，诸番国在瞻云馆或怀远驿。唯大辽、高丽就馆赐宴。大辽使人朝见讫，翌日诣大相国寺烧香，次日诣南御苑射弓，朝廷旋选能射武臣伴射。就彼赐宴，三节人皆与焉。先列招箭班⑦十馀于垛子前，使人多用弩子射。一裹无脚小幞头子、锦袄子辽人，踏开弩子，舞旋搭箭，过与使人，彼窥得端正。止令使人发牙例⑧。本朝伴射用弓箭中的，则赐闹装、银鞍马、衣着、金银器物有差。伴射得捷，京师市井儿遮路争献口号，观者如堵。翌日，人使朝辞。朝退，内前灯山已上彩，其速如神。

[注释]

①大庆殿：北宋皇宫中的正殿，相当于明清时皇宫中的太和殿。参见卷之一"大内"一节。②二量冠：即"二梁冠"，"量"为"梁"字之通假字。《宋史》卷一五二"舆服志"云，宋朝官员的进贤冠分七等，第一、二等为七梁，第三等为六梁，第四等为五梁，第五等为四梁，第六等为三梁，第七等为二梁。参见本书卷之十"车驾宿大庆殿"一节。③䚢蹀：腰带上的饰物，多用金玉制成。《辽史·西夏记》云："金涂银带，佩䚢蹀、解锥、短刀、弓矢。"可知此物在宋代的辽国、西夏比较流行。④三佛齐：南洋的一个古国。南朝时叫干陀利，唐代叫室利佛逝，宋朝时叫三佛齐。即今印度尼西亚的苏门答腊岛。见《宋史》卷四八九"外国传五"。⑤脊：即"瘠"的通假字。指其身材偏瘦。⑥真腊：古国名，汉代称扶南，唐宋时称真腊，明代改称甘孛智，讹为甘破蔗，明代万历之后称柬埔寨。⑦招箭班：禁军中由善于射箭的兵士组成的军事建制。《宋史·兵志》记云："东西班弩手龙旗直、招箭班，共十二。

旧号东西班承旨，择善弓箭者为招箭班。"⑧止令使人发牙例：意思不明，疑有误字。中华书局出版的邓之诚注本中，此处将标点断在"牙"后，"例"字随下文为"例本朝……"，似有不妥。从文意来看，此句的意思当是指辽国使臣射箭中靶之后，要按照常例给他一份奖赏。

**[译文]**

　　正月初一日举行大朝会，皇上高坐于大庆殿宝位。有四名顶盔披甲、身材高大的武士站在大殿角上，叫做"镇殿将军"。各国的使臣进殿朝贺。殿庭上排列着法驾和仪仗，文武百官都头戴官帽、身穿朝服。各路的举人第一名解首，也身穿官服站立朝班，他们的官帽是表示七等官阶的二梁冠，官服是白袍镶着青边。各州的使官入朝启奏，各自献上具有地方特色的贡品。各国的使臣有：大辽国的使臣头戴的金冠，后檐又尖又长，就像一个大莲叶，穿的是紫色窄袍，腰带上佩带的是金蹀躞；其副使腰缠金带，如同汉人服装。辽国大使行拜礼的时候左脚直立，右脚跪地，用两手放在右肩头为一拜；其副使所行的拜礼如同汉官仪式。西夏国的正使和副使，都是头戴着一种短小样制的金冠，身穿红色窄袍，佩带金蹀躞，披吊敦背，叉手行拜礼。高丽国与南方边境之外的交州使臣，都和汉族官仪一样。回纥使臣都是长髯高鼻，用布匹帛包在头上，随意地披着上装。于阗国的使臣都是头戴小金花毡笠，身穿金丝战袍，腰间束带，而且是带着夫人和公子一同前来，乘坐的是骆驼，带着礼品毡兜、铜铎等向宋朝进贡。三佛齐国的使臣都是身材瘦削，头上缠布，身穿红衣，衣服上织成佛像。还有南蛮一带的五姓番使臣，都是头上椎髻高耸，戴着乌毡，像僧人一样，行佛家礼上殿拜见，皇上立即让内侍赐给他们汉族人的服装和锦袄等。还有真腊、大理、大食等国的使臣，有时也来朝贡。那些大辽国使臣住在都亭驿，西夏国使臣住在都亭西驿，高丽国使臣住在梁门外安州巷的同文馆，回纥、于阗国的使臣住在礼宾院，其他各番国的使臣住在瞻云馆或怀远驿。只有大辽国、高丽国的使臣，宋朝朝廷才派人到他们所住的馆舍赐宴。大辽国使臣入朝进见已毕，第二天到大相国寺烧香，第三天到南御苑射箭，朝廷及时选派武臣中的射箭能手一同前往伴射，就在那里设宴招待，辽国使臣、宋朝武臣和朝廷负责接待的官员这三方面的人都参与宴会。在射箭地点先排列招箭班的兵士十余人站在箭垛子前面，使臣们多使用弩子来射。先上来一个头裹无脚小幞头子、身穿锦袄子的辽国人，用脚踏开弩子，手舞足蹈一番，把箭搭在弩上，交给使臣，使臣看准箭靶，瞄得端正。使臣射中，要按常例发给他一份奖赏。宋朝伴射的武臣用弓箭射，射中靶的就赏给一套新装、一副镶银马鞍，或者其他的衣服及金银器物，多少不等。宋朝的伴射武臣得胜之后返回时，京城里大街上的小孩子们拦着路，高呼赞扬他们的口号，两旁夹道观看的人群像墙一样。第二天，使臣入朝告辞。退朝之后，皇宫大内前边的灯山都已经点亮，速度之快像神仙施法一般。

## 立 春

立春前一日，开封府进春牛入禁中鞭春[①]。开封、祥符两县，置春牛于府前。至日绝早，府僚打春，如方州仪。府前左右，百姓卖小春牛，往往花装栏坐，上列百戏[②]人物，春幡雪柳，各相献遗。春日，宰执亲王百官，皆赐金银幡胜[③]。入贺讫，戴归私第。

[注释]

①鞭春：古时候庆祝立春来到的一种活动。府县官员表示劝耕，在立春的前一天，迎春牛置于署衙前，第二天用红绿彩鞭打牛身，叫做鞭春，也叫打春。②百戏：即杂技表演。汉代即有百戏的名称，从张衡《西京赋》等文献

记载和当代出土的汉代百戏陶俑来看，汉代的百戏主要是杂技表演，包括吞刀、吐火、扛鼎、寻橦（爬竿）、冲狭（冲过刀门狭道）、燕跃（又称燕濯或燕子点水）、跳丸、走索等。南北朝后又叫散乐。唐代和北宋百戏比较流行。马端临《文献通考》卷一四七"乐考"记云："宋朝杂乐百戏，有踏球、蹴球、踏跷、藏挟、杂旋、弄枪碗瓶、觝剑、踏索、寻橦、筋斗、拗腰、透剑门、飞弹丸、女伎。百戏之类，皆隶左右军而散居，每大飨燕，宣徽院按籍召之。"耐得翁《都城纪胜·瓦舍众伎》所谓的"杂手艺"即是百戏。参见卷之七"驾登宝津楼诸军呈百戏"一节。③幡胜：即彩胜。唐宋时风俗，每逢立春日，用金银箔罗彩剪作饰物或小旗子，戴在头上或系在花下，用来欢庆春日来临，并互相赠送，叫做幡胜。苏轼《次韵曾仲锡元日见寄》诗云："萧索东风两鬓华，年年幡胜剪宫花。"（《分类东坡诗》卷六）

**[译文]**

　　立春的前一天，开封府迎进一头春牛送到皇宫大内，准备在第二天举行鞭春的活动。开封、祥符两县，也各自把一头春牛置于府衙前面。第二天一大早，衙署里的长官和部属在这里举行打春的仪式，就像开封府进行的仪式那样。开封府前两边的大街上，百姓们卖小春牛玩具，也往往都是把牛用彩花装饰，放在牛栏里边，上面还排列着进行百戏表演的各种人物，为迎春而制作一些小旗子和点缀有彩花的柳枝，各自互相赠送。立春那天，朝中的宰相、亲王及百官，都被皇上赏赐一些金银幡胜。他们入朝谢恩毕，戴着这些幡胜回到自家府中。

## 元　宵

　　正月十五日元宵。大内前自岁前冬至后，开封府绞缚山棚①，立木正对宣德楼，游人已集御街，两廊下奇术异能，歌舞百戏，鳞鳞相切，乐声嘈杂十馀里。击丸蹴踘，踏索上竿。赵野人，倒吃冷淘。张九哥，吞铁剑。李外宁，药法傀儡。小健儿，吐五色水、旋烧泥丸子。大特落、灰药、榾柮儿，杂剧。温大头、小曹，嵇琴②。党千，箫管。孙四，烧炼药方。王十二，作剧术。邹遇、田地广，杂扮。苏十、孟宣，筑球③。尹常卖，《五代史》。刘百禽，虫蚁。杨文秀，鼓笛。更有猴呈百戏，鱼跳刀门，使唤蜂蝶，追呼蝼蚁。其馀卖药卖卦，沙书地谜，奇巧百端，日新耳目。至正月七日，人使朝辞出门，灯山上彩，金碧相射，锦绣交辉。面北悉以彩结山启④，上皆画神仙故事，或坊市卖药卖卦之人。横列三门，各有彩结金书大牌，中曰"都门道"，左右曰"左右禁卫之门"，上有大牌曰"宣和与民同乐"。彩山左右，以彩结文殊、普贤，跨狮子、白象，各于手指出水五道，其手摇动。用辘轳绞水上灯山尖高处，用木柜贮之，逐时放下，如瀑布状。又于左右门上，各以草把缚成戏龙之状，用青幕遮笼，草上密置灯烛数万盏，望之蜿蜒如双龙飞走。自灯山至宣德门楼横大街，约百馀丈，用棘刺围绕，谓之"棘盆"，内设两长竿，高数十丈，以缯彩结束，纸糊百戏人物，悬于竿上，风动宛若飞仙。内设乐棚⑤，差衙前乐人作乐杂戏，并左右军百戏在其中。驾坐一时呈拽⑥宣德楼上，皆垂黄缘帘，中一位乃御座。用黄罗设一彩棚，御龙直执黄盖掌扇，列于帘外。两朵楼各挂灯球一枚，约方圆丈馀，内燃椽烛，帘内亦作乐。宫嫔嬉笑之声，下闻于外。楼下用枋木垒成露台⑦一所，彩结栏槛。两边皆禁卫排立，锦袍，幞头簪赐花，执骨朵子⑧，面此乐棚。教坊钧容直，露台弟子，更互杂剧。近门亦有内等子⑨班直排立。万姓皆在露台下观看，乐人时引万姓山呼⑩。

[注释]

①山棚：欢庆元宵节时，在街边用木料、松枝搭建并用花朵与彩旗装饰

的彩山，称为山棚。蔡絛《铁围山丛谈》卷一云："国朝上元节烧灯，盛于前代，为彩山峻极而对峙于端门。"这里所谓的彩山即是山棚。又赵彦卫《云麓漫钞》卷三云："今人谓锡宴所结彩山为山棚。"②嵇琴：即弹琴。晋嵇康善弹琴，临刑时曾弹名曲《广陵散》，后世或称琴为嵇琴。③苏十、孟宣，筑球：苏十即苏述，他和孟宣都是当时京城中善于筑球者。筑球，古代的击球游戏，详见本书卷之九"宰执亲王宗室百官入内上寿"中的描写及注㉑。④启：原作"杏"，即"启"字，今径改为"启"，参见本书卷之四"食店"一节注⑦。⑤乐棚：演出百戏伎艺的场所，通常是在节日期间或其他喜庆日子临时搭建起来的棚子。唐代已有乐棚的名称，如元稹《哭女樊》诗云："腾踏游江舫，攀援看乐棚。"（《全唐诗》卷四〇四）⑥呈拽：此词较罕见，意思不明。疑为方言，即设置、拾掇之意。这里大概是指把皇上的御座安排停当。⑦露台：即高台，或作灵台。《史记·文帝纪》云："尝欲作露台，招匠计之，直百金。"这里的露台指露天舞台。⑧骨朵子：或称骨䯻子，皇帝身边的卫士手执的一种仪仗。执骨朵子的卫士称为骨朵子直。高承《事物纪原》卷十引《宋朝会要》云："太平兴国二年，诏改簇御龙直骨䯻子直曰御龙骨䯻子直。"⑨内等子：禁军中下级军官的名称。参见本书卷之四"军头司"注①。⑩山呼：群臣在朝贺皇帝时高呼万岁，称为山呼。高承《事物纪原》卷一云："后人以呼万岁为山呼者，其事盖起于汉武时。按前汉武帝本纪曰，元封元年正月登嵩高，御史乘属在庙傍，吏卒咸闻呼万岁者三。迄今三呼以为式，而号山呼也。"

[译文]

正月十五日是元宵节。皇宫大内前面从年前冬至之后，开封府就开始搭建山棚，竖起的大標条正对着宣德楼，已有游人聚集到御街上，街边两廊下，表演奇术异能的，表演歌舞百戏的，一片连着一片，音乐声和人语声嘈杂喧嚷，十多里外都能听到。其中有表演击丸蹴鞠的，有表演踏索上竿的。赵野人表演倒吃冷淘。张九哥表演吞铁剑。李外宁表演药法傀儡。小健儿表演吐五色水、旋烧泥丸子。大特落、灰药、榾柮儿等表演杂剧。温大头、小曹弹琴。党千演奏箫管。孙四表演烧炼药方。王十二表演作剧术。邹遇、田地广表演杂扮。苏十、孟宣表演筑球。尹常卖说评书《五代史》。刘百禽表演弄虫蚁。杨文秀演奏鼓笛。还有人表演猴呈百戏、鱼跳刀门、使唤蜂蝶、追呼蝼蚁等。其余卖药卖卦的，在沙地上书写谜语让人猜的，奇技巧术多种多样，都能让人耳目一新。到正月初七那天，外国的使臣入朝辞别出了京城，晚上灯山一齐点亮，金光灿烂交相照耀，锦绣流彩辉映其间。面朝北都是用锦绣彩旗搭建成的山棚，上面都画着神仙故事，或者画着街巷间卖药卖卦的人物形象。横向排列三道门，各有彩结金书的大招牌，中间的写着"都门道"，左右两边的写着"左右禁卫之门"，上面还有一面大牌写着"宣和与民同乐"。彩山的左右两旁，用五彩扎成文殊、普贤菩萨，分别骑着狮子和白象，各自的手指流出五道水流，他们的手还在晃动着。还有用辘轳绞水升上灯山的最高处，用大木柜贮存着，按时放水流下来，像瀑布一样。又在左右两边的大门上，分别用草把子扎缚成二龙戏珠的形状，用青色布蒙着，草把子上密密地排着的灯烛有数万盏之多，远远望去，龙身蜿蜒卷动就像双龙在飞跑似的。从灯山到宣德门楼的横大街，大约百余丈远，用棘刺围绕起来，叫做"棘盆"，里面设置两根长竿，有几十丈高，用五彩缯布装饰起来，又用纸糊成百戏人物，悬挂在高竿上，随风摆动宛若飞仙。棘盆里边还设有乐棚，差派衙前的乐人奏乐并演出杂戏，还有左右禁军的百戏也在里面表演。皇帝的座席临时安排在宣德楼上，都垂着黄边的布帘子，中央的一个座位就是御座。用黄罗设置一个彩棚，侍卫御龙直手执黄盖的掌扇，排列在布帘之外。两个朵楼上各挂着一个大灯球，大约方圆一丈有余，里边点燃着如椽子般大的蜡烛，布帘内也有乐队奏乐。妃嫔及宫女的嬉笑声，传到下面的城楼以外。城楼下边有一座用枋木垒成的露台，围栏都用五彩锦绣镶裹着。两边的禁军士兵并排站立，身穿锦袍，头戴幞头，上面插着皇上赐给的绢花，手里执着骨朵子，面对着乐棚警戒。教坊司、军乐队和露台的优伶们，轮番演出杂剧节目。靠近城楼门的地方也有禁军内等子值班卫士并排站立。普通百姓都在露台下面观看演出，演出的乐人们还不时地引导观众们山呼万岁。

## 十四日车驾幸五岳观

正月十四日，车驾幸五岳观迎祥池，有对御（谓赐群臣宴也）。至晚还内。围子①、亲从官皆顶球头大帽，簪花，红锦团答戏狮子衫，金镀天王腰带，数重骨朵。天武官皆顶双卷脚幞头，紫上大搭天鹅结带，宽衫。殿前班②顶两脚屈曲向后花装幞头，着绯青紫三色捻金线结带望仙花袍，跨弓剑，乘马，一扎鞍辔，缨绋③前导。御龙直一脚指天、一脚圈曲幞头，着红方胜锦袄子，看带束带，执御从物，如金交椅、唾盂、水罐、果垒、掌扇、缨绋之类。御椅子皆黄罗珠蹙背座，则亲从官执之。诸班直皆幞头锦袄束带，每常驾出，有红纱帖金烛笼二百对，元宵加以琉璃玉柱掌扇灯，快行家各执红纱珠络灯笼。驾将至，则围子数重，外有一人捧月样兀子④，锦覆于马上。天武官十馀人，簇拥扶策，喝曰："看驾头⑤！"次有吏部小使臣百馀，皆公裳，执珠络球杖，乘马听唤。近侍馀官皆服紫绯绿公服，三衙太尉、知阁⑥玉带罗列前导，两边皆内等子。选诸军膂力者，着锦袄顶帽，握拳顾望，有高声者，捶之流血。教坊、钧容直乐部前引，驾后诸班直马队作乐。驾后围子外，左则宰执侍从，右则亲王、宗室、南班官⑦。驾近，则列横门十馀人击鞭，驾后有曲柄小红绣伞，亦殿侍执之于马上。驾入灯山，御辇院人员辇前喝"随竿媚来",御辇团转一遭,倒行观灯山,谓之"鹁鸽旋",又谓之"踏五花儿",则辇官有喝赐矣。驾登宣德楼,游人奔赴露台下。

[注释]

①围子:皇帝出行时的近身侍卫。《宋史·兵志》称为"驾出禁卫围子",又称"禁围",以天武军内一指挥为宽衣天武,专司其事。②殿前班:皇帝禁军的编制之一,下文"御龙直"也是这一类的军事编制。参见卷之四"军头司"一节注②。③缨绋:即缨绂,绾结官印的丝带,也代指印绶。"绋"通"绂"。《汉书·丙吉传》云:"临当封,吉疾病,上(宣帝)将使人加绋而封之,及其生存也。"后有注云:"绋,系印之祖也。"这里的缨绋是指皇帝的印绶。④兀子:即杌子,这里指放在马背上的小椅子。⑤驾头:即皇帝御座亲临。驾头本指皇帝出行时所坐的特殊座位。沈括《梦溪笔谈》卷一云:"正衙法座,香木为之,加金饰,四足坠角,其前小偃,织藤冒之。每车驾出幸,则使老臣马上抱之,曰驾头。"这里说"看驾头",是侍卫向路人发出的警示语,意思是:"圣驾到了,小心看着点!"⑥三衙太尉、知阁:"三衙",指枢密院、中书省、门下省,这三处政要部门称为三衙,其长官称太尉。知阁,指主管"诸阁分"的内官。参见本书卷之一"内诸司"注②。⑦南班官:皇帝身边的近侍,一般都是皇家宗族子弟担任。沈括《梦溪笔谈》卷二云:"宗子授南班官。"

[译文]

正月十四日,皇上车驾巡幸五岳观、迎祥池,有赏赐群臣的宴会。到晚上回到内宫。皇上的近身侍卫、亲随官员都戴着球头大帽,簪花,身穿红锦团答戏狮子衫,镀金天王腰带,排列着好几重手持骨朵子的仪仗。天武官都头戴双卷脚的幞头,身穿紫色大披肩天鹅结带的宽衫。殿前班卫士头戴两脚屈曲向后的花装幞头,身穿红青紫三色捻金线结带望仙花袍,身佩弓剑,骑马,同一样式的鞍辔,近侍手执印绶在前引导。御龙直卫士头戴一只脚直立朝天、一只脚弯曲成圈的幞头,身穿有红色方胜的锦袄子,宽带束腰,手里拿着皇上出行所用的各种物件,如金交椅、唾盂、水罐、果盘、宫扇、印绶之类。御椅子的靠背和座位都用黄罗铺设，上缀珍珠，由亲从官用手抬着。诸班直卫士都是头戴幞头、身穿锦袄、腰间束带，平常每次皇上车驾出行都有红纱帖金蜡烛灯笼二百对引路，元宵节这天晚上又增加有琉璃玉柱掌扇灯，快行家卫士各自手执红纱珠络灯笼。皇上车驾快要来到的时候，就有近身侍卫们排列得一道又一道，另外还有一人捧着一件月牙形状的小椅子，上面用锦缎覆盖，放在马背上。天武官卫士十多人，在两边及前后簇拥扶持着，向路上行人喝斥道："看驾头！"随后有吏部的小使臣百余名，都身穿官服，手执珠络球杖，骑马跟随，听候使唤。近侍及其余官员也都身穿着紫红绿等各色官服，三衙的太尉及诸阁分的内官，都身佩玉带在圣驾前面列队引导，两边都是禁卫军的内等子武士。禁军中挑选出来的那些有膂力的武士，身穿锦袄头戴帽盔，攥着拳头向两边观察着动静，发现有高声喧哗者就捶打他们甚至使之流血。教坊司和军乐队的乐手们在前面奏乐引导，皇上的车驾后面是诸班直的马上乐队奏乐跟随。车驾后面的近侍卫士的外侧，左边是宰相及其侍从，右边是亲王、宗室、南班官。皇上圣驾临近的时候，就有横列在门前的十多人击鞭鸣响，圣驾背后有一顶曲柄小红绣伞，也由内侍秉持于马上。圣驾进入灯山之后，御辇院的近侍人员在御辇前边喊道"随竿媚来"，于是御辇就绕行一圈，倒退着观看灯山，这叫做"鹁鸽旋"，又叫做"踏五花儿"，这时就有随辇官高声宣布皇上给赏了。之后圣驾登上宣德楼，游人们都跑到露台下面瞻仰观看。

## 十五日驾诣上清宫

十五日，诣上清宫，亦有对御，至晚回内。

[译文]

正月十五日,圣驾往上清宫,也安排赐群臣宴,到晚上回宫。

# 十六日

十六日,车驾不出。自进早膳讫,登门,乐作,卷帘,御座临轩,宣万姓。先到门下者,犹得瞻见天表。小帽红袍独桌子,左右近侍,帘外伞扇执事之人。须臾下帘,则乐作,纵万姓游赏。两朵楼相对:左楼相对郓王①以次彩棚幕次;右楼相对蔡太师②以次执政戚里幕次。时复自楼上有金凤飞下诸幕次,宣赐不辍。诸幕次中,家妓竞奏新声,与山棚、露台上下乐声鼎沸。西朵楼下,开封尹弹压,幕次罗列罪人满前,时复决遣,以警愚民。楼上时传口敕,特令放罪。于是华灯宝炬,月色花光,霏雾融融,动烛远近。至三鼓,楼上以小红纱灯球缘索而至半空,都人皆知车驾还内矣。须臾闻楼外击鞭之声,则山楼上下,灯烛数十万盏,一时灭矣。于是贵家车马,自内前鳞切,悉南去游相国寺。寺之大殿前设乐棚,诸军作乐,两廊有诗牌灯云"天碧银河欲下来,月华如水照楼台",并"火树银花合,星桥铁锁开"之诗。其灯以木牌为之,雕镂成字,以纱绢幂之,于内密燃其灯,相次排定,亦可爱赏。资圣阁前安顿佛牙③,设以水灯,皆系宰执、戚里、贵近占设看位。最要闹,九子母殿及东西塔院、惠林、智海、宝梵,竞陈灯烛,光彩争华,直至达旦。其馀宫观寺院,皆放万姓烧香,如开宝、景德、大佛寺等处,皆有乐棚,作乐燃灯。惟禁宫观寺院,不设灯烛矣。次则葆真宫,有玉柱玉帘窗隔灯。诸坊巷,马行诸香药铺席、茶坊、酒肆,灯烛各出新奇。就中莲华王家香铺灯火出群，而又命僧道场打花钹、弄椎鼓④，游人无不驻足。诸门皆有官中乐棚，万街千巷，尽皆繁盛浩闹。每一坊巷口，无乐棚去处，多设小影戏棚子，以防本坊游人小儿相失，以引聚之。殿前班在禁中右掖门里，则相对右掖门设一乐棚，放本班家口登皇城观看。官中有宣赐茶酒妆粉钱之类。诸营班院，于法不得夜游，各以竹竿出灯球于半空，远近高低，若飞星然。阡陌纵横，城闉不禁。别有深坊小巷，绣额珠帘。巧制新妆，竞夸华丽。春情荡扬，酒兴融怡。雅会幽欢，寸阴可惜。景色浩闹，不觉更阑。宝骑骎骎，香轮辘辘。五陵年少，满路行歌。万户千门，笙簧未彻。市人卖玉梅、夜蛾、蜂儿、雪柳、菩提叶、科头圆子、拍头焦䭔。唯焦䭔以竹架子出青伞上，装缀梅红缕金小灯笼子，架子前后，亦设灯笼，敲鼓应拍，团团转走，谓之"打旋罗"，街巷处处有之。至十九日收灯，五夜城闉不禁，尝有旨展日。宣和年间，自十二月于酸枣门（二名景龙）门上，如宣德门，元夜点照，门下亦置露台。南至宝箓宫，两边关扑买卖。晨晖门外设看位一所，前以荆棘围绕，周回约五七十步，都下卖鹌鹑骨饳儿、圆子、䭔拍、白肠、水晶鲙、科头细粉、旋炒栗子、银杏、盐豉汤、鸡段、金橘、橄榄、龙眼、荔枝诸般市合，团团密摆，准备御前索唤。以至尊有时在看位内，门司、御药、知省、太尉，悉在帘前，用三五人弟子祗应。籸盆⑤照耀，有同白日。仕女观者，中贵邀住，劝酒一金杯令退。直至上元，谓之"预赏"。惟周待诏瓠羹，贡馀者一百二十文足一个，其精细果别如市店十文者。

[注释]

①郓王：即宋徽宗第三子赵楷，被封为郓王。他在政和年间状元及第，又提举皇城司，甚受徽宗宠信。②蔡太师：即蔡京，徽宗时受宠信，被拜为太

师，封魏国公。③佛牙：传说释迦牟尼佛死后，曾留下四颗牙齿，佛教徒们奉为珍宝，特予以供奉，称为佛牙。见《大般涅槃经后分》卷下"圣躯廓润品"第四。后世在中国的不少寺院里都珍存有佛牙，未必都是真正的释迦牟尼遗留的牙齿，或者只是一件象征之物。④椎鼓：即佛事活动中僧人敲击的花棒鼓。元李有《古杭杂记》云："有丧之家，命僧为佛事……花棒鼓者，谓每举法事，则一僧三四棒鼓，轮流抛弄，诸妇女竞观之以为乐。"⑤粆盆：古时风俗，在除夕夜晚焚松柴于火盆中，以祭祀祖先及神灵，叫做粆盆，又叫烧火盆。到元宵节夜晚也还继续点燃。宋曾布《曾公遗录》卷九云："密院据开封状，乞烧粆盆，奏从之。"宋刘昌诗《芦蒲笔记》卷四"粆盆"一节云："今人祠祭或燕设，多以高架然薪照庭下，号为生盆，莫晓其义。予因执合宫，见御路两旁火盆，皆叠麻粆，始悟为粆盆，俗呼为生也。"这种风俗一直延续到清代，清王鸣盛《练川杂咏》诗中有句云："烧罢粆盆添旺相，家家春帖换新题。"

[译文]

正月十六日，皇上车驾不出宫。从进罢早膳以后，皇上登上宣德门的城楼，音乐奏响，帘子卷起，皇上御座设在楼门临街处，向百姓宣告要与民同乐。先赶到城楼下边的人们，还可以亲眼目睹龙颜。皇上头戴小帽，身穿红袍，面前单独摆放一张桌子。左右有近身侍卫站立，帘子之外是撑伞、掌扇等服侍的人。不一会儿放下了帘子，音乐则一直不停，让百姓们纵情地游赏节日盛景。宣德楼两旁的两座朵楼东西相对：左朵楼下方相对着的位置，是郓王赵楷及其以下皇亲家的彩棚帷幕；右朵楼下方相对的位置，是太师蔡京以下的执政大臣及国戚家的彩棚帷幕。时而又从宣德楼上有金色凤鸟飞下来，飞到各个彩棚帷幕前，宣布皇上给予的赏赐接连不断。各个彩棚帷幕当中，皇亲及显贵府中的家妓们，比赛似的演奏着新潮乐曲，同山棚、露台上下各处的音乐演奏交相混响，声音嘈杂如开了锅一般。西朵楼下方，开封府尹带领人役在那里维持彩棚帷幕的秩序，把一些在押罪犯拉过来排列在人们的眼前，不一会儿就当场宣布判决结果，用这样的方式使普通百姓知道警惧。宣德楼上时而传下来皇上的口头旨令，对一些罪犯予以特别赦免或减轻惩罚。这时，华灯与宝炬齐明，月色与花光相映，夜晚的轻霭薄雾浑融朦胧，灯火之光照亮远近。到三更天的时候，宣德楼上把小红纱灯球顺着溜索滑下来停在半空中，人们望见就知道是皇上的车驾回宫了。不大一会儿，就听见宣德楼外击鞭声响，接着山棚和城楼的上下各处，数十万盏灯烛一下子全都熄灭了。于是豪门显贵之家的车马，从大内前边的御街像鱼鳞般地排起，都往南去游相国寺。相国寺里的大殿前面也设置有乐棚，禁军各部的军乐队在那里演奏，大殿的两廊有诗牌灯，上面写着"天碧银河欲下来，月华如水照楼台"，以及"火树银花合，星桥铁锁开"的诗句。这样的诗牌灯是用木牌做成的，在木牌上镂空成字，用薄纱绢从里面蒙着，牌子里侧点上灯烛，依次排列整齐，也可以算得上可爱可赏了。资圣阁前面陈放着佛牙，设置着水灯，这里都是当朝执政大臣和皇亲国戚、豪门显贵等上流人物占据和布置的座位。最为繁华热闹的地方，是九子母殿及东西塔院，惠林、智海、宝梵等处，犹如竞赛一般陈列着各种式样的灯烛，光彩争耀，直到天亮。京城里其他各处的宫观寺院，都准许百姓们去烧香，如开宝寺、景德寺、大佛寺等处，也都设置有乐棚，演奏音乐并点燃灯烛。只有皇宫内院里面的宫观寺院，不设置灯烛。其次是葆真宫，设置有玉柱及玉帘窗隔开灯光。各处街巷，如马行街的各个香药店铺、茶馆、酒店等，所置备的灯烛各出新奇。其中莲华王家香铺的灯火最为超群出众，而且这里还安排有和尚道士打花钹、弄椎鼓，前来游赏的人们无不驻足观看。京城的各个城门都设置有官家乐棚，万街千巷，到处都繁盛热闹。每一条巷口，没有乐棚的地方，大都设置有小影戏棚子，以防本街巷的游人有小孩走失，用这样的小棚子收留他们。禁军的殿前班在皇宫的右掖门里边，正对着右掖门设置一个乐棚，特许本部人员的家属子弟，在这里登上皇城的城墙观灯。禁军的长官也对这些家属子弟赏赐一些茶酒、脂粉、铜钱之类。禁军的各营值班卫士，按照规定不得在节日夜晚出去游玩，他们只好各自用竹竿挑出灯球悬在半空中，远远高低，闪烁照耀，像飞动的流星似的。京城里各条街巷道路纵横交错，到处都不设置禁区。另外还有背街小巷，住户的门额也挂上了珠帘。精心巧手制作新妆，相互比赛夸耀华丽。人们面带春风，欢情洋溢，乘着酒兴，心情怡悦。如此良宵之夜，雅士聚会，情人幽欢，觉得每分每秒都是值得珍惜的。节日的景色繁华而喧闹，不知不觉就到了夜半更深的时候了。心爱的宝马欢快地奔跑着，豪华的轿车香轮滚动着。官宦人家的公子哥儿，一路上跑着唱着。万户千家的宅院中，音乐的演奏一夜不停。集市上有小商贩卖玉梅、夜蛾、蜂儿、雪柳、菩提叶、科头圆子、拍头焦䭔等。特别是卖焦䭔的，把竹架子装在青伞上面，点缀着梅红缕金的小灯笼子，竹架子的前后也设置有灯笼，随着敲击鼓点的打拍子节奏，小灯笼团团转动，这叫做"打旋罗"，街头巷口到处都有这样的小玩意儿。到正月十九日夜间收灯，这五个夜晚京城里没有任何禁令，而且曾经有圣旨让把节日灯会延长一两天。徽宗宣和年间，从十二月起在酸枣门（又名景龙门）门上，像宣德门元宵节夜晚点燃灯火照明那样，城门之下也设置有露台，往南到宝箓宫，街道两边都有关扑买卖。晨晖门外设置有御座看台一所，前面用荆棘围绕，周长大约五七十步。京城里卖鹌鹑骨饳儿、圆子、䭔拍、白肠、水晶鲙、科头细粉、旋炒栗子、银杏、盐豉汤、鸡段、金橘、橄榄、龙眼、荔枝等各种吃食与水果的，团团层层地摆放着，准备着供皇家采办索唤。因为皇上有时就在御座看台里边，门司、御药、知省、太尉等内侍与近臣，都在帘子前边，有三五名年轻小伙侍候着听差。炀盆中的火光照耀夜空，就像大白天一样。京城里上流社会的仕女出来观景致的，宫中的宦官就要邀请她们停留一下，使用金杯劝饮一杯酒才让她们离开。这样的做法一直持续到元宵节那天，叫做"预赏"。只有周待诏所卖的瓠羹，除献给官廷里的贡品之外，剩余者要卖到一百二十文钱一个，其制作精细果然和其他店铺卖十文钱一个的大不相同。

## 收灯都人出城探[①]春

收灯毕，都人争先出城探春。州南则玉津园外，学方池亭榭、玉仙观、转龙湾。西去一丈佛园子、王太尉园[②]。奉圣寺前孟景初[③]园。四里桥望牛冈、剑客庙。自转龙湾东去陈州门外，园馆尤多。州东宋门外快活林、勃脐陂、独乐冈[④]、砚台、蜘蛛楼、麦家园、虹桥、王家园。曹、宋门之间，东御苑、乾明崇夏尼寺。州北，李驸马[⑤]园。州西，新郑门大路，直过金明池西道者院[⑥]，院前皆妓馆。以西宴宾楼，有亭榭、曲折池塘、秋千画舫，酒客税小舟，帐设游赏。相对祥祺观[⑦]，直至板桥，有集贤楼、莲花楼，乃之官河东，陕西五路之别馆，寻常钱送，置酒于此。过板桥，有下松园、王太宰园、杏花冈。金明池角南去，水虎翼巷水磨下蔡太师园。南洗马桥西巷内，华严尼寺、王小姑酒店。北金水河，两浙尼寺、巴娄寺、养种园，四时花木，繁盛可观。南去药梁园、童太师[⑧]园。南去铁佛寺、鸿福寺、东西柏榆村。州北模天坡、角桥，至仓王庙、十八寿圣尼寺、孟四翁酒店。州西北原有庶人园，有创台、流杯亭榭数处，放人春赏。大抵都城左近，皆是园圃，百里之内，并无闲[⑨]地。次第春容满野，暖律暄睛。万花争出粉墙，细柳斜笼绮陌。香轮暖辗，芳草如茵；骏骑骄嘶，杏花如绣。莺啼芳树，燕舞晴空。红妆按乐于宝榭层楼，白面行歌近画桥流水。举目则秋千巧笑，触处则蹴鞠疏狂。寻芳选胜，花絮时坠金樽；折翠簪红，蜂蝶暗随归骑。于是相继清明节矣。

[注释]

①探：原本作"采"，即"探"字之误。②王太尉园：百岁寓翁《枫窗小牍》卷下记为"王太宰园"。王太宰应即是王黼，宋徽宗时进升为少宰，与蔡京同为朝廷重臣。③孟景初：曾为教坊使，事迹不详。清周城《宋东京考》卷十云："景初园即教坊使孟景初园也，在城西南奉圣寺冈。"本书卷之九"宰执亲王宗室百官入内上寿"一节"第五盏，御酒"一段、卷之十"除夕"一节，皆有孟景初出场。④独乐冈：明李濂《汴京遗迹志》卷九云："独乐冈在城东十五里，相传宋时有一富翁居此，都人九日于此登高，男女婚嫁已毕，翁不问家事，日邀故旧饮酒为乐。徽宗微行见之，美曰：'斯人其独乐哉！'因名其冈。"⑤李驸马：应即是李玮，李用和之子，尚仁宗长女兖国公主，官驸马都尉，终官为建武军节度使。《宋史》有传。⑥道者院：道教寺观。明李濂《汴京遗迹志》卷十一云："道者院在郑门外五里，宋时所建，每岁中元节十月朔，设大会道场，焚钱山，祭军阵亡殁孤魂。金季兵毁。"⑦祥祺观：清周城《宋东京考》卷十三云："祥祺观在新郑门外金明池之右，始建未详，元末兵毁。"⑧童太师：即童贯，字道辅，徽宗朝以平方腊功进位为太师。⑨闲："闲"原本作"聞"，即"闲"字。

[译文]

正月十九日夜晚灯会结束之后，汴京内城里的人们都争先出城探春。城南的去处，有玉津园之外的学方池亭榭、玉仙观、转龙湾。往西去有一丈佛园子、王太尉园。奉圣寺前面有孟景初园。四里桥有望牛冈、剑客庙。从转龙湾往东到陈州门外，园馆更多。城东宋门外有快活林、勃脐陂、独乐冈、砚台、蜘蛛楼、麦家园、虹桥、王家园。曹门和宋门之间，有东御苑、乾明崇夏尼寺。城北有李驸马园。城西顺着新郑门大路，一直抵达金明池西边的道者院，此院前面都是妓院。往西去是宴宾楼，这里有亭榭、曲折池塘、秋千画舫，饮酒的客人们可以租条小船，挂上帐幔游赏美景。对面是

收灯都人出城探春

祥祺观，往前直到板桥，有集贤楼、莲花楼，再往官河东岸，有陕西五路的别馆，平时为远赴外地的人饯行，就在这里置酒话别。过了板桥，有下松园、王太宰园、杏花冈。从金明池角往南去，水虎翼巷水磨以下是蔡太师园。南洗马桥西巷内有华严尼寺、王小姑酒店。北金水河有两浙尼寺、巴娄寺、养种园，这里有四季开放的花木，繁盛可观。往南去是药梁园、童太师园。再往南去是铁佛寺、鸿福寺、东西柏榆村。城北有模天坡、角桥，到仓王庙、十八寿圣尼寺、孟四翁酒店。城西北原来有庶人园，这里有创台、流杯亭榭数处，准许游人在此赏春。总的来说，都城附近都是园圃，百里之内没有闲地。元宵过后紧接着就是春色遍布郊野，暖气充盈晴空。万花竞开，俏枝伸出粉墙外；细柳轻拂，柔条斜笼芳路间。香车的双轮碾过，芳草如茵铺地；宝马的长嘶激扬，杏花似绣满枝。莺啼于芳树，燕舞于晴空。红妆佳丽，在宝榭层楼弹琴奏乐；白面书生，对画桥流水放声歌唱。举目四望，到处是仕女秋千欢声笑语；信步行来，随时有男儿蹴鞠豪放轻狂。寻访春色，游览胜景，花瓣飘坠于盛酒之金樽；折取柳枝，插戴花朵，蜂蝶追随着归途之马儿。于是，过不多久清明节就到了。

# 卷之七

## 清明节

清明节，寻常京师以冬至后一百五日为大寒食①。前一日，谓之"炊熟"，用面造枣䭅飞燕，柳条串之，插于门楣，谓之"子推燕"②。子女及笄③者，多以是日上头。寒食第三节，即清明日矣④。凡新坟皆用此日拜扫，都城人出郊。禁中前半月，发宫人车马朝陵。宗室南班⑤近亲，亦分遣诣诸陵坟享祀。从人皆紫衫，白绢三角子青行缠，皆系官给。节日，亦禁中出车马，诣奉先寺、道者院⑥，祀诸宫人坟。莫非金装绀幰⑦，锦额珠帘，绣扇双遮，纱笼前导。士庶阗塞，诸门纸马铺皆于当街用纸衮迭成楼阁之状。四野如市，往往就芳树之下，或园囿之间，罗列杯盘，互相劝酬。都城之歌儿舞女，遍满园亭，抵暮而归，各携枣䭅、炊饼、黄胖⑧、掉刀、名花、异果、山亭、戏具、鸭卵、鸡雏，谓之"门外土仪"。轿子即以杨柳杂花装簇顶上，四垂遮映。自此三日，皆出城上坟，但一百五日最盛。节日，坊市卖稠饧、麦糕、乳酪、乳饼之类。缓入都门，斜阳御柳；醉归院落，明月梨花。诸军禁卫，各成队伍，跨马作乐四出，谓之"摔脚"。其旗旌鲜明，军容雄壮，人马精锐，又别为一景也。

[注释]

①大寒食：即寒食节。陈元靓《岁时广记》卷十五云："清明前二日为寒食节，前后各三日，凡假七日。而民间以一百四日始禁火，谓之私寒食，又谓之大寒食。北人皆以此日扫祭先茔，经月不绝。"②子推燕：清明节放在门前的一种食品，为纪念春秋时晋国的介子推而取为此名。高承《事物纪原》卷八云："故俗每寒食前一日，谓之炊熟。则以面为蒸饼样，团枣附之，名为子推。穿以柳条，插户牖间。相缘云，介子推逃禄，晋文公焚山求之。子推焚死，文公为之寒食断火，故民从此物祀之，而名子推。"③及笄：笄，即簪子。及笄，即是指古时候女孩子结发如成人，相当于男孩子的冠礼。女孩子及笄的年龄一般为15岁。《礼记·内则》云："女子……十有五年而笄。"④寒食第三节，即清明日矣："节"与"日"二字应当调换一下，为"寒食第三日，即清明节矣"。原本有误。⑤南班：即南班官，见本书卷之六"十四日车驾幸五岳观"一节注⑦。⑥道者院：见卷之六"收灯都人出城探春"一节注⑥。⑦绀幰：天青色的车幔。《隋书·礼仪志》卷五云："犊车……五品以上，绀幰碧裹，皆白铜装。"这里谓"金装绀幰"，"金装"当为金色装，即铜装。⑧黄胖：土制的泥偶。叶绍翁《四朝闻见录》戊集《黄胖诗》有注云："韩侂胄以春日宴族人于西湖，因土为偶，名曰黄胖。"

[译文]

清明节，通常京城里以冬至后的第一百零五天为大寒食。前一天，叫做"炊熟"，人们用白面做成枣饲飞燕，用柳条串着它，插在门头上，叫做"子推燕"。家中有女孩子到了及笄年龄的，也在这一天上头。寒食节的第三日，就是清明节了。凡是新坟都在这一天拜祭扫墓，京城里的人要到郊外去。皇宫中在半月之前就安排宫中的人们准备车马拜祭皇陵，皇家宗室及南班官那帮近亲子弟们，也被分派到各个陵墓进行祭祀。跟随的人都穿紫色长衫，白绢三角子青行缠头，这些都是官府配发的。清明节那天，也是皇宫中派出车马，诣奉先寺、道者院两处祭祀已去世的各位官嫔的坟墓的日子。祭祀车队都是青色的车幔，铜饰车身，锦绣横额，珍珠垂帘，一对官扇遮道，两排纱笼前导。士大夫和普通百姓人家祭祀的人流在各处城门都发生拥挤堵塞，卖纸马的店铺都在当街把纸马等祭祀用品摆放成楼阁的形状。四郊野外像集市一般，祭祀的人们往往就在绿树之下，或田园之间，排列着杯盘果品，拜祭祝告。京城里的歌童舞女，遍布于各个园亭中，到天黑才返回城里，各自携带着枣锢、炊饼、黄胖、掉刀、名花、异果、山亭、戏具、鸭卵、鸡雏等，这些叫做"门外土仪"。出城的轿子就用柳枝和杂花装饰在轿顶上，四边垂下来的枝藤遮映着轿门。从寒食节开始一连三天，人们都出城上坟，但是在第一百零五日那天人最多。节日期间，集市上卖的吃食有稠饧、麦糕、乳酪、乳饼等。缓步进入京城门内，只见斜阳辉映着御道两旁的杨柳；乘醉归来本家院里，明月光照闲庭满树的梨花。禁军的营房卫所，各自排列成整齐的队伍，骑马奏乐四处出动执行任务，叫做"摔脚"。他们的旗帜鲜明，军容雄壮，人马精锐，又成为京城里一道特别显眼的风景。

## 三月一日开金明池琼林苑

三月一日，州西顺天门外开金明池①琼林苑②，每日教习车驾上池仪范。虽禁从，士庶许纵赏，御史台有榜不得弹劾。池在顺天门街北，周围约九里三十步，池西直径七里许。入池门内南岸西去百馀步，有面北临水殿，车驾临幸，观争标、锡宴③于此。往日旋以彩幄，政和间用土木工造成矣。又西去数百步，乃仙桥，南北约数百步，桥面三虹，朱漆阑楯，下排雁柱，中央隆起，谓之"骆驼虹"，若飞虹之状。桥尽处，五殿正在池之中心，四岸石甃，向背大殿，中坐各设御幄，朱漆明金龙床，河间云水戏龙屏风，不禁游人。殿上下回廊，皆关扑④钱物饮食伎艺人作场勾肆，罗列左右。桥上两边，用瓦盆内掷头钱⑤，关扑钱物、衣服、动使。游人还往，荷盖相望。桥之南立棂星门，门里对立彩楼。每争标作乐，列妓女于其上。门相对街南，有砖石甃砌高台，上有楼观，广百丈许，曰宝津楼。前至池门，阔百馀丈。下瞰仙桥、水殿，车驾临幸，观骑射、百戏于此。池之东岸，临水近墙皆垂杨，两边皆彩棚幕次，临水假赁，观看争标。街东皆酒食店舍、博易场户、艺人勾肆、质库⑥。不以几日解下，只至闭池，便典没出卖。北去直至池后门，乃汴河西水门也。其池之西岸，亦无屋宇，但垂杨蘸水，烟草铺堤，游人稀少，多垂钓之士。必于池苑所买牌子⑦，方许捕鱼。游人得鱼，倍其价买之，临水斫脍，以荐芳樽，乃一时佳味也。习水教⑧罢，系小龙船于此。池岸正北对五殿，起大屋，盛大龙船，谓之"奥屋"。车驾临幸，往往取二十日。诸禁卫班直簪花、披锦绣、捻金线衫袍、金带勒帛之类，结束竞逞鲜新。出内府金枪，宝装弓剑，龙凤绣旗，红缨锦罾，万骑争驰，铎声震地。

[注释]

①金明池：汴京城新郑门外大街路北的一处人工湖，周长约九里。五代后周时周世宗欲伐南唐，开凿此湖训练水军，演习水战。北宋时成为京城外一处风光秀丽的游赏之地。秦观有《金明池》词，写金明池事，后来"金明池"成为词牌名。宋徽宗时在池边建造一些亭台殿阁，有宝津楼、宴殿、射殿等。②琼林苑：在汴京城新郑门外大街路南，与金明池南北相对，是皇帝宴请新科进士的地方。北宋初太宗太平兴国二年（977年）赐宴新科进士于琼林苑，后成为一种定例，每一科考试放榜之后，都要在琼林苑赐宴，叫琼林宴。③锡宴：即赐宴。"锡"是"赐"的通假字。④关扑：赌戏名。见卷之六"正月"

一节注①。⑤头钱：进行关扑时，先投一份钱，取得资格，这份钱即是"头钱"。⑥质库：即当铺，又称"解库"。宋吴曾《能改斋漫录》卷一有"特质钱为解库"一节，记述宋代质库交易情形颇详尽。⑦于池苑所买牌子：池苑所即"金明池与琼林苑管理处"。"牌子"，即准许捕鱼的证件，相当于现在说"要想钓鱼先到池苑所买门票"。⑧习水教：水军水战的教练或演习。金明池是北宋时京师教演水军的地方。明李濂《汴京遗迹志》卷八云："宋太平兴国七年，太宗尝幸其池，阅习水战。"

[译文]

　　三月初一日，在城西顺天门外（即新郑门）开放金明池和琼林苑，每天在这里演习皇上车驾到金明池游幸的时候如何接待的各种礼仪。虽然是皇家禁地，也准许一般士大夫和百姓前来观赏，御史台曾出榜明示不得对来这里游玩的官员进行弹劾。金明池在顺天门大街以北，周围约九里零三十步，池东西的最大宽度约七里。进入金明池园区的大门内顺着南岸往西去一百多步，有一座面朝北临水而建的大殿，皇上的车驾临幸时，观看比赛夺标、赐赏宴会就在这里。以前这里只是用彩色布幔围住一块地方，到了政和年间就用土木建造成一座大殿了。又往西去几百步，就是仙桥，南北长约几百步，桥面由三座虹桥相连，大红油漆的栏杆，下面并排着两行桥柱，中间的一座桥隆起，称为"骆驼虹"，就像天上彩虹的样子。桥的尽头，有五座殿建在金明池的湖水中心位置，殿基的四边沿岸都用石头砌成，五殿和南岸的大殿正相对着，殿中的座位各设置有皇帝专用的帐幔，大红油漆、闪亮镶金的龙床，雕绘着河间云水戏龙的屏风，不禁止游人到此观赏。五殿上下有回廊连接环绕，都有关扑钱物、出售饮食伎艺的各种商贩与艺人表演的勾栏瓦肆，罗列在左右。仙桥上两边放有瓦盆，可往里边投掷头钱，以此关扑钱物、衣服及各种玩具用品。游人来往，凉伞翠盖相接于路。仙桥的南头竖立一座门名叫棂星门，门里边相对搭起两座彩楼。每逢比赛夺标要奏乐的时候，在这彩楼上排列着演奏的妓女。与棂星门相对的街南边，有一座砖石砌成的高台，上面建有楼观，宽广有一百平方丈左右，叫宝津楼。楼前到金明池的正门，宽一百多丈。在宝津楼上可以俯瞰仙桥与水殿，皇上车驾临幸的时候，观看骑射和百戏表演就在这里。金明池的东岸，临近水面、靠近围墙的地方都是垂柳，道路两边都是彩棚和帷幕，临近水面的位置可以出租，在这里观看夺标比赛。街东边都是酒店饭馆和卖食品的店铺，以及赌博交易场所，还有各种伎艺表演的勾栏瓦肆与典当行等。交付在这里进行典当的物品不论放了多少天，只要一到金明池关闭之日，就要全部典当或卖出去。往北去直到金明池后门，就是汴河上的西水门了。金明池的西岸没有房屋等建筑，只有垂柳轻拂水面，芳草遍铺堤岸，游人比较稀少，多有垂钓之士。钓鱼的人一定要先到池苑所买牌子，才准许进园捕鱼。游人得到钓鱼者钓上来的鱼，就用比市面上高出一倍的价钱买下，在池水旁边洗剥干净当时就烹调成佳肴，端上餐桌，实在是难得的美味了。有时在金明池举行水军的教练或演习，演习完了之后，小龙船就停泊在这里。金明池岸边正北对着五殿的水边，还建造一座大房子，里面停放大龙船，叫做"奥屋"。皇上的车驾临幸金明池通常在三月二十日。这一天，禁军各班直的卫士们，都是头上簪花、身披锦绣、穿着撚金线的衫袍、腰束金带勒帛之类的打扮，比赛似的炫耀新鲜军装。而且手持内官的金枪，佩带镶有珍宝的良弓美剑，举的是龙凤绣旗，骑的是披挂着红缨锦辔的好马。万骑争驰于路，铃声震天动地。

### 驾幸临水殿观争标锡宴

驾先幸池之临水殿，锡燕[①]群臣。殿前出水棚，排立仪卫。

近殿水中，横列四彩舟，上有诸军百戏，如大旗狮豹、棹刀②蛮牌、神鬼杂剧之类。又列两船，皆乐部。又有一小船，上结小彩楼，下有三小门，如傀儡棚，正对水中乐船。上参军色③进致语④，乐作，彩棚中门开，出小木偶人。小船子上，有一白衣人垂钓，后有小童举棹划船，辽绕数回，作语，乐作，钓出活小鱼一枚。又作乐，小船入棚。继有木偶筑球舞旋之类，亦各念致语、唱和乐作而已，谓之"水傀儡"。又有两画船，上立秋千，船尾百戏人上竿，左右军院虞候⑤监教，鼓笛相和。又一人上蹴秋千，将平架，筋斗掷身入水，谓之"水秋千"。水戏呈毕，百戏乐船，并各鸣锣鼓，动乐舞旗，与水傀儡船分两壁退去。有小龙船二十只，上有绯衣军士各五十馀人，各设旗鼓铜锣。船头有一军校，舞旗招引，乃虎翼指挥兵级也。又虎头船十只，上有一锦衣人，执小旗立船头上，馀皆着青短衣，长顶头巾，齐舞棹，乃百姓卸在行人也。又有飞鱼船二只，彩画间金，最为精巧，上有杂彩戏衫五十馀人，间列杂色小旗绯伞，左右招舞，鸣小锣鼓、铙、铎之类。又有鳅鱼船二只，止容一人撑划，乃独木为之也，皆进花石朱勔⑥所进。诸小船竞诣奥屋，牵拽大龙船出诣水殿，其小龙船争先团转翔舞，迎导于前。其虎头船以绳牵引龙舟。大龙船约长三四十丈，阔三四丈，头尾鳞鬣，皆雕镂金饰。楄板⑦皆退光。两边列十阁子，充阁分歇泊，中设御座龙水屏风。楄板到底深数尺，底上密排铁铸大银样，如桌面大者，压重，庶不欹侧也。上有层楼台观槛曲，安设御座。龙头上人舞旗，左右水棚排列六桨，宛若飞腾。至水殿，舣之一边。水殿前至仙桥，预以红旗插于水中，标识地分远近。所谓小龙船，列于水殿前，东西相向。虎头飞鱼等船，布在其后，如两阵之势。须臾，水殿前水棚上，一军校以红旗招之，龙船各鸣锣鼓出阵，划棹旋转，共为圆阵，谓之"旋罗"。水殿前又以旗招之，其船分而为二，各圆阵，谓之"海眼"。又以旗招之，两队船相交互，谓之"交头"。又以旗招之，则诸船皆列五殿之东，面对水殿，排成行列，则有小舟，一军校执一竿，上挂以锦彩银碗之类，谓之"标竿"，插在近殿水中。又见旗招之，则两行舟鸣鼓并进。捷者得标，则山呼拜舞。并虎头船之类，各三次争标而止。其小船复引大龙船入奥屋内矣。

[注释]

①锡燕：即"赐宴"，二字皆为通假字。②棹刀：即掉刀。本书卷之五"京瓦伎艺"有"杂剧、掉刀、蛮牌"，可参照。③参军色：宋代杂剧表演中饰演的官人角色。赵彦卫《云麓漫钞》卷五云："优人杂剧，必装官人，号为参军色。"在演出时常执竹竿、念致语、指挥舞队进场退场，又称为"竹竿子"，参见卷之九"宰执亲王宗室百官入内上寿"一节。④致语：艺人在表演百戏之前所念诵的献辞，多为赞颂语气的对偶文字，相当于当代文艺演出时报节目的解说词。宋代不少著名文人都曾撰作过这一类的致语，如欧阳修、王安石、苏轼等大家的文集中都有这样的致语。彭乘《墨客挥犀》卷十记云："赵叔平罢参政致政，居睢阳，欧阳永叔罢参政，居汝阴。叔平一日乘女舆来访永叔。……于是欧公自为优人致语及口号。"⑤虞候：宋代官僚雇用的侍从。吴自牧《梦粱录》卷十九"雇觅人力"一节云："凡雇倩人力及干当人……虞候、押番、门子……俱各有行老引领。"⑥朱勔：北宋末苏州人，与其父朱冲一同谄事蔡京，被升为防御使，借为皇帝采办花石纲之名在东南一带大肆巧取豪夺，民愤极大。方腊起义就打着诛朱勔的旗号而起兵。靖康元年，宋钦宗将他羁押在循州，又派使者将他斩杀。⑦榿板：即艎板。"艎"即是船。

[译文]

皇上的圣驾首先幸临金明池的临水殿，赐宴于朝中各位大臣。水殿前面伸出的水棚中，排列站立着仪仗和卫士。靠近水殿的地方，横列着四条彩船，上面有禁军各部表演的百戏，如大旗狮豹、掉刀蛮牌、神鬼杂剧之类。旁边又排列两条船，上面都是演奏的乐队。又有一条小船，上面搭一座小彩楼，下面有三个小门，像是表演傀儡戏的棚子，正对着水面上的乐船。乐队船上先有一位扮作"参军色"的角色上场，向观众致辞，音乐声起，彩楼下边的小门打开，走出小木偶人。小船上有一个身穿白衣的人正在垂钓，他的身后有个小童举着桨划船，反复数次，钓鱼者和小童对话，音乐声起，钓竿钓出一条活小鱼。音乐声再起，小船进入棚子里去了。接着有木偶、筑球、舞旋之类的表演，也各有人首先上场致辞，并有人唱和，还有音乐伴奏等，这样的表演叫做"水傀儡"。又有两条彩船，上面竖立着秋千架，船尾有表演百戏的演员登上高竿，左右有禁军指挥部的虞候监管表演，有鼓笛等乐器伴奏。又有一人登上秋千荡起，快要荡到水平的高度，突然他一个筋斗脱离秋千，飞身入水，这叫做"水秋千"。水戏表演完毕，百戏船和乐队船，还有各船鸣锣鼓、伴奏、舞旗的，与水傀儡船分别往两厢退去。这时，有小龙船二十只，每条船上有穿红衣的军士五十多人，各船设置有旗鼓和铜锣。船头上有一名军人，舞动彩旗进行引导，这是禁军中虎翼指挥级别的军官。又有虎头船十只，每条船上有一位身穿锦衣的人，手执小旗站立船头上，其余的人都身穿青色短衣，戴着长顶子的头巾，一齐划桨，这都是百姓当中不在编制的专业划船能手。又有飞鱼形状的彩船两条，船身五彩描画并且间有镶金，最为精巧，上面有身穿杂彩戏衫的五十多人，其间还排列着杂色小旗和红伞，左右有挥旗引导以及敲击小锣鼓、铙、铎等乐器的人。又有鳅鱼形状的船两条，每条只由一个人划，这是用一块整木料制造的独木舟，都是那位采办花石纲的防御使朱勔进献给宫中的。各条小船一齐奔向奥屋，牵引着一条大龙船出来到水殿前面，其他各条小龙船争先围绕着大龙船旋转起舞，在前面迎接并引导着。有一条虎头船用绳索牵引大龙船。大龙船大约长三四十丈，宽三四丈，头尾的龙鳞龙鬣，都是雕刻或镂空并加以镶金装饰，船板的油漆都已失去亮光。船身两边排列着十个小房间，小房间中坐满人之后暂时停下，其中设有皇上御座，座后是刻绘有龙水图案的屏风。从船板到船底的深度有数尺，船底上密密排放着铁铸的大银锭形状的铁块，每一块像桌面那么大，这是为了压重，使船身不至于侧翻。大龙船上建造着两层楼的看台和栏杆、门槛、阶梯等，中间设置着皇上御座。龙头上有人挥舞着旗帜，左右两边的水棚中，排列着六支船桨，划动起来就像飞腾一般。到达水殿前面，停泊在一旁。从水殿前到仙桥，预先把红旗插在水里，标明水道的距离。所谓的小龙船，排列在水殿前，东西相对。虎头船和飞鱼船等分布在小龙船的后面，就像两军交战的阵势。不一会儿，水殿前的水棚上，有一名军士用红旗招引船只，小龙船各自鸣锣击鼓划向阵前，船桨划动使船旋转，共同组成一个圆形的阵势，这叫做"旋罗"。水殿前面又用红旗招引，这些船分为两方，各成圆阵，这叫做"海眼"。又用红旗招引，两队船相互交叉行进，这叫做"交头"。再用红旗招引，那些船只都排列在五殿的东边，面朝着水殿，排成行列，这时有一只小船上面站着一名兵士，手里执着一根长竿，竿上挂着锦彩、银碗之类的东西，这叫做"标竿"，插在靠近五殿的池水当中。又见有红旗招引，船队就分作两行，在鸣鼓声中齐头并进，先到达终点者得到冠军奖标，这时各处看台上的人们一齐高呼口号并手舞足蹈。还有虎头船等各类船只，分三次进行夺标比赛之后宣告结束。那些小船又牵引着大龙船进入奥屋里面去了。

## 驾幸琼林苑

　　驾方幸琼林苑，在顺天门大街，面北，与金明池相对。大门牙道，皆古松怪柏。两傍有石榴园、樱桃园之类，各有亭榭，多是酒家所占。苑之东南隅，政和间创筑华觜冈，高数十丈。上有横观层楼，金碧相射。下有锦石缠道，宝砌池塘，柳锁虹桥，花萦凤舸。其花皆素馨、末莉①、山丹、瑞香、含笑、射香②等闽、广、二浙③所进南花。有月池、梅亭、牡丹之类。诸亭不可悉数。

[注释]

①末莉：即茉莉。古籍中"茉"字俗写作"末"。②射香：即麝香草，郁金香的别名。见李时珍《本草纲目》卷十四"草三·郁金香"。③二浙：如今的浙江省在唐代为浙江东道和浙江西道，南宋时为浙东路和浙西路，简称二浙。

[译文]

皇上圣驾幸临的琼林苑，在顺天门（即新郑门）大街，门面朝北，和金明池相对。大门里外的砖镶行道两旁，都是古松怪柏。两边有石榴园、樱桃园等园林，园内各有亭榭，大多被酒家占用。琼林苑的东南角，在徽宗政和年间建有一处高冈名叫华觜冈，高几十丈。冈上有横向观眺的两层楼阁，金碧辉煌。冈子下面有花石铺砌的人行道，还有精心砌岸的池塘，垂柳轻笼虹桥，繁花萦绕凤舸。苑中的花卉都是素馨、茉莉、山丹、瑞香、含笑、郁金香等福建、两广、二浙进献来的南方花卉品种。苑中还有月池、梅亭、牡丹园之类，各种亭台难以一一详述。

## 驾幸宝津楼宴殿

宝津楼之南有宴殿。驾临幸，嫔御车马在此。寻常亦禁人出入，有官监之。殿之西有射殿，殿之南有横街，牙道柳径，乃都人击球之所。西去苑西门，水虎翼巷。横道之南，有古桐①牙道,两旁亦有小园圃台榭。南过画桥,水心有大撮焦亭子,方池柳步围绕,谓之"虾蟆亭",亦是酒家占。寻常驾未幸,习旱教②于苑大门。御马立于门上,门之两壁,皆高设彩棚,许士庶观赏呈引百戏。御马上池,则张黄盖、击鞭如仪。每遇大龙船出,及御马上池,则游人增倍矣。

[注释]

①古桐:即梧桐。梧桐古代亦称胡桐,方言读为古桐。②旱教:即步军操练。

[译文]

宝津楼的南边,有一座殿阁名叫宴殿。皇上圣驾临幸的时候,随行的嫔御及车马停留在这里。平时也禁止行人出入,有官员监管。宴殿的西边有一座射殿,射殿的南边有一条横街,街边有砖镶牙道和柳荫小径,这里是京城里的人们击球的地方。往西去就是琼林苑的西门,有水虎翼巷。在横道的南边,有梧桐遮荫的砖镶人行道,道两旁也有格局较小的园圃与台榭。往南经过画桥,池水中心有一座大撮焦亭子,四方形的池水及柳荫道路围绕,叫做"虾蟆亭",也是被酒家占用着。平常圣驾没有临幸的时候,禁卫军的步军在这琼林苑的大门口操练。皇上来的时候,御马挺立于门前。大门的两边围墙里外,都架设着彩棚,准许士大夫和普通百姓观赏为皇上准备的各种百戏表演。皇上御马进入金明池之后,就张起黄罗伞盖并击鞭鸣响,按常规仪式进行。每逢遇到大龙船出来的时候,以及御马来金明池的日子,这里的游人就加倍增多。

## 驾登宝津楼诸军呈百戏

驾登宝津楼,诸军百戏①呈于楼下。先列鼓子十数辈,一人摇双鼓子，近前进致语，多唱《青春三月蓦山溪》也。唱讫，鼓笛举。一红巾者弄大旗，次狮豹入场，坐作进退、奋迅举止毕。次一红巾者，手执两白旗子，跳跃旋风而舞，谓之"扑旗子"。及上竿打筋斗之类讫，乐部举动，琴家弄令，有花妆轻健军士百馀，前列旗帜，各执雉尾蛮牌②木刀，初成行列拜舞，互变开门夺桥等阵，然后列成偃月阵。乐部复动《蛮牌令》，数内两人，出阵对舞，如击刺之状，一人作奋击之势，一人作僵仆。出场凡五七对，或以枪对牌、剑对牌之类。忽作一声如霹雳，谓之"爆仗"③，则蛮牌者引退。烟火大起，有假面披发、口吐狼牙烟火、如鬼神状者上场，着青帖金花短后之衣，帖金皂裤，跣足，携大铜锣，随身步舞而进退，谓之"抱锣"。绕场数遭，或就地放烟火之类。又一声爆仗，乐部动《拜新月慢》曲，有面涂青绿、戴面具金睛、饰以豹皮锦绣看带之类，谓之"硬鬼"。或执刀斧，或执杵棒之类，作脚步蘸立，为驱捉视听之状。又爆仗一声，有假面长髯、展裹绿袍、靴简如钟馗像者，傍一人以小锣相招和舞步，谓之"舞判"。继有二三瘦瘠，以粉涂身，金睛白面，如髑髅状，系锦绣围肚看带，手执软仗，各作魁谐④趋跄，举止若排戏，谓之"哑杂剧"。又爆仗响，有烟火就涌出，人面不相睹。烟中有七人，皆披发文身，着青纱短后之衣，锦绣围肚看带。内一人金花小帽，执白旗，馀皆头巾，执真刀，互相格斗击刺，作破面剖心之势，谓之"七圣刀"。忽有爆仗响，又复烟火出，散处以青幕围绕，列数十辈，皆假面异服，如祠庙中神鬼塑像，谓之"歇帐"。又爆仗响，卷退次，有一击小铜锣，引百馀人，或巾裹，或双髻，各着杂色半臂，围肚看带，以黄白粉涂其面，谓之"抹跄"。各执木棹刀⑤一口，成行列，击锣者指呼，各拜舞起居毕，喝喊变阵子数次，成"一"字阵，两两出阵格斗，作夺刀击刺之态百端讫，一人弃刀在地，就地掷身、背着地有声，谓之"扳落"。如是数十对讫，复有一装田舍儿者入场，念诵言语讫，有一装村妇者入场，与村夫相值，各持棒杖互相击触，如相殴态。其村夫者以杖背村妇出场毕，后部乐作，诸军缴队⑥杂剧一段，继而露台弟子杂剧一段。是时弟子萧住儿、丁都赛、薛子大、薛子小、杨总惜、崔上寿之辈，后来者不足数。合曲舞旋讫，诸班直常入，祗候子弟所呈马骑。先一人空手出马，谓之"引马"。次一人磨旗出马，谓之"开道旗"。次有马上抱红绣之球，系以红锦索，掷下于地上，数骑追逐射之，左曰"仰手射"，右曰"合手射"，谓之"拖绣球"。又以柳枝插于地，数骑以划子箭⑦、或弓或弩射之，谓之"蜡柳枝"⑧。又有以十馀小旗，遍装轮上而背之出马，谓之"旋风旗"。又有执旗挺立鞍上，谓之"立马"。或以身下马，以手攀鞍而复上，谓之"骗马"⑨。或用手握定镫袴，以身从后鞦⑩来往，谓之"跳马"。忽以身离鞍，屈右脚挂马鬃⑪，左脚在镫，左手把鬃，谓之"献鞍"，又曰"弃鬃背坐"。或以两手握镫袴，以肩着鞍桥，双脚直上，谓之"倒立"。忽掷脚着地，倒拖顺马而走，复跳上马，谓之"拖马"。或留左脚着镫，右脚出镫离鞍，横身在鞍一边，左手捉鞍、右手把鬃存身，直一脚，顺马而走，谓之"飞仙膊马"。又存身拳曲在鞍一边，谓之"镫里藏身"。或右臂挟鞍，足着地，顺马而走，谓之"赶马"。或出一镫，坠身着鞦，以手向下绰地，谓之"绰尘"。或放令马先走，以身追及，握马尾而上，谓之"豹子马"。或横身鞍上，或轮弄利刃，或重物、大刀、双刀百端讫，有黄衣老兵，谓之"黄院子"数辈，执小绣龙旗前导，宫监马骑⑫百馀，谓之"妙法院"。女童皆妙龄翘楚，结束如男子，短顶头巾，各着杂色锦绣捻金丝番段窄袍，红绿吊敦束带，莫非玉羁金勒，宝镫花鞯，艳色耀日，香风袭人。驰骤至楼前，团转数遭，轻帘鼓声，马上亦有呈骁艺者。中贵人许畋押队，招呼成列，鼓声，一齐掷身下马，一手执弓箭、揽缰子，就地如男子仪拜舞山呼讫，复听鼓声，觑马而上。大抵禁庭如男子装者，便随男子礼起居。复驰骤团旋、分合阵子讫，分两阵，两两出阵，左右使马，直背射弓，使番枪或草棒，交马野战，呈骁骑讫，引退，又作乐。先设彩结小球门于殿前，有花装男子百馀人，皆裹角子向后拳曲花幞头，半着红、半着青锦袄子，义襴⑬束带丝鞋，各跨雕鞍花鞯⑭驴子。分为两队，各有朋头⑮一名，各执彩画球杖，谓之"小打"。一朋头用杖击弄球子，如缀球子⑯方坠地，两朋争占，供与朋头，左朋击球子过门入盂⑰为胜，右朋向前争占，不令入盂。互相追逐，得筹谢恩而退。续有黄院子引出宫监⑱百馀，亦如"小打"者，但加之珠翠装饰，玉带红靴，各跨小马，谓之"大打"。人人乘骑精熟，驰骤如神，雅态轻盈，妍姿绰约，人间但见其图画矣。呈讫。

[注释]

①百戏：见本书卷之六"立春"一节注②。②蛮牌：即盾牌。③爆仗：即爆竹。古代过年时用火燃竹发出爆炸的响声，用来驱邪，称为爆竹。后来发明了火药，就用纸卷火药制成炮，称为爆仗或炮仗，或者沿用古名仍称为爆竹。④魁谐：即诙谐。"魁"是"诙"字之误。⑤棹刀：即"掉刀"。本书卷之五"京瓦伎艺"有"杂剧、掉刀、蛮牌"，可参照。⑥缴队：即结队。"缴"或即是"结"字之误。⑦划子箭：箭头扁平如铲形的箭。⑧蜡柳枝：原本为"蜡"或作"蹋"字，即用扁平的箭头射断柳枝。程大昌《演繁露》卷十三云："壬辰三月三日，在金陵预阅李显忠兵马司兵，最后折柳环插球场，军士驰马射之。其矢镞阔于常镞，略可寸余，中之辄断，名曰蹋柳。"⑨觑马：也作"骗马"，马上的一种技艺，即骑者以身下马，以手攀鞍而复上。唐张𬸦《朝野佥载》卷四引张元一嘲武懿宗诗云："长弓短度箭，蜀马临阶骗。"《全

唐诗》卷八六九有此诗,"骗"字作"騙"。《新唐书·百官志一·刑部》云:"乐工、兽医、骗马、调马、群头、栽接之人皆取焉。"⑩鞦:也作"鞧",络牛马股后的革带。"鞦"字作此义时不可简化为"秋"。⑪骖:马的颈项部位。⑫宫监马骑:皇宫里太监管理的马队,和禁军的马队不在同一编制。⑬义襕:襕,古代服装,从后身围向前面约束裙腰的称为襕裙。义襕大概是襕裙的一种。下节"驾幸射殿射弓"中有"黄义襕",卷之九"宰执亲王宗室百官入内上寿"一节有"金带义襕"等多处,可参考。⑭韂(zhàn):马背上衬托马鞍的垫子。⑮朋头:即队长。⑯缀球子:即球子。大概是球子上有镶缀的图饰,又称缀球子。⑰盂:每一队被攻击的靶点,相当于现在的足球门。⑱宫监:即上文所谓的"宫监马骑",亦即方才进行表演的女子马队。

[译文]

　　皇上圣驾登上宝津楼,禁军各部的百戏表演就在楼下进行。先排列着击鼓手十多名,其中一人手里摇动着双鼓子,走到前面致辞,大都是唱《青春三月暮山溪》一曲。唱罢,鼓和笛子一起演奏。一位裹着红头巾的人挥动一面大旗,接着有狮子、豹子入场,做蹲坐、进退以及奔跑、扬爪等动作之后退场。接着又有一位头裹红巾的人,手里拿着两面白旗,跳跃旋转而舞,这叫做"扑旗子"。还有爬竿、翻筋斗之类的表演,完了之后,乐部开始演奏,弹琴手弹起主旋律,有身穿花衣、体形矫健的军士一百多人上场,队前排列着旗帜,军士们各执雉尾、盾牌、木刀,开始排成队列,行礼起舞之后队形变换成开门、夺桥等阵势,然后又排列成偃月阵。乐部又演奏起《蛮牌令》一曲,队列中有两人走出阵前相对而舞,好像是互相击刺的样子,一个人作奋起进击的姿势,一个人作被刺中僵卧倒地状。出场表演的军士大约有五七对,或者是用长枪对盾牌、或者是用剑对盾牌等。忽然发出一声巨响如空中霹雳,这叫做"爆仗",于是持盾牌的军士退场。烟火一起发作,有一个戴着面具、披散头发、口吐狼牙烟火、如鬼神形状者上场,他身穿青色帖金花短后襟的上衣,帖金黑色长裤,赤着脚,拿着一面大铜锣,晃动着身体跳跃舞蹈或进或退,这叫做"抱锣"。这个角色绕场好几圈,或者就地放了一通烟火。又一声爆竹响,乐部奏起《拜新月慢》曲子,有一帮子面涂青绿颜色、戴着面具、金色眼睛的角色上场,他们身上挂着豹皮锦绣条带等,这叫做"硬鬼"。有的手持刀斧,有的拿着棍棒等,作出脚尖点地而立,像是在对鬼怪进行驱赶捕捉观察探寻的样子。又响了一声爆竹,有一个戴着面具、长胡子、身穿绿袍、脚蹬快靴、像钟馗模样的角色上场,旁边一人用小锣招引配合着舞步,这叫做"舞判"。接着有两三个光着脊梁的瘦子上场,用白粉涂在身上,金色眼睛白面孔,像是骷髅的样子,腰里系着锦绣兜肚和条带,手里拿着软仗,各自做出诙谐、踉跄的滑稽动作,行动举止就像排戏似的,这叫做"哑杂剧"。又一声爆竹响过,有烟火就地涌起,人对面都看不见。浓烟中有七人上场,都披散头发、身刺文绣,穿着青纱短后襟的上衣,腰里围着锦绣兜肚和条带。其中有一人头戴金花小帽,手执白旗,其余的都戴头巾,手执真刀,互相格斗击刺,做出破面、剖心等姿势,这叫做"七圣刀"。忽然又有爆竹响,并有烟火出现,烟散处用青色帷幕围绕,排列几十人,都戴着面具身穿异服,就像祠庙里的神鬼塑像一般,这叫做"歇帐"。又响一声爆竹,这帮人依次退场。接下去有一人敲着小铜锣,招引上来一百多人,有的裹着头巾,有的绾着双髻,各穿着杂色的坎肩,腰里围着兜肚条带,用黄色和白色的脂粉涂在脸上,这叫做"抹跄"。各人手里拿着一把木刀,排成行列,敲锣者呼喊着指挥,各自拜舞起立之后,随着指挥的喊声变换阵势有好几遍,又排成"一"字阵,分别两两出阵进行格斗表演,做出夺刀、击刺等各种动作,完了之后一人将手中的木刀抛在了地上,身体就地摔下来,脊背着地发出沉重的声响,这叫做"扳落"。像这样有数十对刀手进行表演,完了之后又有一人装扮成农夫模样的入场,朗诵一段开场白之后,有一个装扮成村妇的入场,和农夫相遇,各人手持木棍互相攻击并有肢体接触，好像打架似的。最后那个农夫用木棍背着村妇出场，完了之后乐部又开始奏乐，各军士结队演出杂剧一段，接下去外边露台的戏班子也演出杂剧一段。这时出场的名角有萧住儿、丁都赛、薛子大、薛子小、杨总惜、崔上寿等人，其他的就不值得一提了。随着舞曲跳一番舞之后，禁军各部人员入场，为他们做助手的一些年轻人牵来所用的马匹。首先有一人空手骑马遛一趟，这叫做"引马"。接着有一人骑马舞旗出场，这叫做"开道旗"。接着有一人骑在马上抱着个红绣球，用一根红锦索系着，抛到地上，几个骑手追赶着用箭射这绣球，左边的叫"仰手射"，右边的叫"合手射"，这叫做"拖绣球"。又有人把柳枝插在地上，几名骑手分别用划子箭，或者用普通弓箭或者弩箭射那柳枝，这叫做"蜡柳枝"。又有一人用十多面小旗子，安装在一个圆轮上，背着骑马上场，这叫做"旋风旗"。又有一人手执一面旗帜站立在马鞍上，这叫做"立马"。或者飞身下马，又用手攀着马鞍再上马，这叫做"骦马"。或者用手握牢马镫套裤，身体从马后鞦带的位置跳上跳下，这叫做"跳马"。忽然，骑手的身体离开马鞍，弯曲着右脚挂在马脖子上，左脚却还在马镫里，用左手抓牢马鬃，这叫做"献鞍"，又叫"弃鬃背坐"。或者用两手握牢马镫套，把肩膀顶在鞍桥上，双脚朝上竖起，这叫做"倒立"。忽然飞脚着地，呈倒拖姿势顺马而跑，再跳上马，这叫做"拖马"。或者留左脚在马镫里，右脚脱出马镫，离开马鞍把身体横放在鞍子的一边，右手抓牢马鞍，左手抓牢马鬃，身体固定，并直着一只脚，顺马而跑，这叫做"飞仙膊马"。又把身体弯曲在鞍子的一边，这叫做"镫里藏身"。或者用右臂夹紧马鞍，两脚着地，顺马而跑，这叫做"赶马"。或者一只脚脱开马镫，下坠着身体挂在后鞦上，用手向下抓地上的物品，这叫做"绰尘"。或者先放开手让马跑，然后飞身追上，抓住马尾而上马，这叫做"豹子马"。或者把身体横在马鞍上，或者轮番耍弄利刃，或者耍弄重物、大刀、双刀等。各种表演完了之后，有黄衣老兵，叫做"黄院子"的几个人，手执小绣龙旗在前面引导，内宫的皇家马队有一百多匹出场了，这叫做"妙法院"。骑在马上的女孩子们都是青春年少姿容秀美，打扮就像男子一样，都是头裹短头巾，穿一身杂色锦绣捻金丝番段窄袍，红绿颜色的吊敦束带，每一骑无不是玉羁金勒，宝镫花鞯，美艳之色光耀白日，香风袭来使人心醉。马队奔驰到宝津楼前停下，缓步行转几圈，乐部那里响起鼓声，马上也有表演特殊技艺的女子初展手脚。内监中贵人许畋担任领队，他一声招呼表演者便排成队列，鼓声响起，骑手们一齐翻身下马，一只手拿着弓箭，揽着马缰，各在原地像男子的礼仪一样跪拜舞蹈山呼万岁，完了之后，又听鼓声响起，就飞身上马。其规矩大致是，在皇宫大内之中如果身着男装者，就随同男子的礼仪进行日常活动。女子马队又奔驰转圈、或分或合表演一番之后，分为两个阵营，两两出阵，左右催动坐马，直身转体射箭，或者挥动北番的长枪，或者舞起杆棒，二马相交进行战斗，尽呈骁武雄健英姿，完了之后按照指挥退场，于是音乐声又起。预先设置的五彩绾结的小球门在宝津楼前面，这时有身穿花衣的男子一百多人，都是头上裹着角子向后拳曲的花幞头，一半人身穿红锦袄子，一半人身穿青锦袄子，义襕束带丝鞋，各自跨骑一匹雕鞍花鞯的驴子。分作两队，每队有队长一名，各人手持彩绘的球杖，这叫做"小打"。一方的队长用球杖击弄球子，如果这个缀球子刚落地，两队都过来争抢，抢到者就传给他们的队长，左队击球子突破右队球门进入"盂"中为胜，右队向前力争挡住，不让球子入"盂"。这样互相追逐，一方得胜拜舞谢恩之后就退场。接着有黄院子引导出宫中女子马队一百多人，也像刚才"小打"的规则一样，但是这些队员都是满头珠翠装饰，腰束玉带，脚蹬红靴，各骑一匹小马，这叫做"大打"。女骑手们每人的骑技精到纯熟，往来奔驰飘忽若神，姿容娴雅，动作轻盈，婀娜绰约，美艳绝伦，民间的普通人只能从图画中看到她们的形象了。全部表演到此结束。

## 驾幸射殿射弓

驾诣射殿射弓，垛子前列招箭班二十馀人，皆长脚幞头，紫绣抹额，紫宽衫，黄义襕，雁翅排立。御箭去则齐声招舞，合而复开，箭中的矣。又一人口衔一银碗，两肩两手共五只，箭来则能承之。射毕，驾归宴殿。

[译文]

皇上圣驾亲临射殿射箭，垛子前边排列着招箭班的弓箭手二十多人，都是头戴长脚幞头，紫绣抹额，身穿紫宽衫，黄义襕，像大雁展翅那样两旁排立。皇上弯弓搭箭把箭射出去时，卫士们就齐声呼叫用手招舞，两手合起来又张开，就表示箭中靶了。又有一人口中衔着一个银碗，两肩和两手各放一个共五个碗，箭射过来就能用碗挡着它。射箭完毕，圣驾回到宴殿中休息。

## 池苑内纵人关扑游戏

池苑内，除酒家艺人占外，多以彩幕缴①络，铺设珍玉、奇玩、匹帛、动使、茶酒、器物关扑。有以一笏②扑三十笏者，以至车马、地宅、歌姬、舞女，皆约以价而扑之。出九和合③有名者，任大头、快活三之类，馀亦不数。池苑所进奉鱼藕果实，宣赐有差。后苑作④进小龙船，雕牙缕翠，极尽精巧。随驾艺人池上作场者，宣、政间张艺多、浑身眼、宋寿香、尹士安小乐器、李外宁水傀儡，其馀莫知其数。池上饮食：水饭、凉水菉豆⑤、螺蛳肉、饶梅花酒、查片⑥、杏片、梅子、香药脆梅、旋切鱼脍、青鱼、盐鸭卵、杂和辣菜之类。池上水教罢，贵家以双缆黑漆平船，紫帷帐，设列家乐游池。宣、政间，亦有假赁大小船子，许士庶游赏，其价有差。

[注释]

①缴：即"结"字，误作"缴"。参见前节"驾登宝津楼诸军呈百戏"注⑥。②笏：关扑术语，输赢的计算单位。关扑，见本书卷之六"正月"一节注①。③出九和合：关扑术语，赢家得胜的方式。④后苑作：皇宫内苑里的作坊，是宫廷"内诸司"之一。见本书卷之一"内诸司"。⑤菉豆：即绿豆。"菉"是"绿"的通假字。⑥查片：即山楂片。因"查"字亦写作"楂"。

[译文]

金明池和琼林苑里面，除了被酒家和艺人占用的房舍之外，大都是用彩色帷幕并结缨络装饰，幕内铺设有珍玉、奇玩、布匹、玩赏物件、茶水酒类及器物关扑买卖等。偶然有用一笏进行关扑而扑得三十笏的，以至于车马、房产、歌姬、舞女，都可以酌价而进行关扑。出九和合的著名赢家，有任大头、快活三等人，其馀的都不值得一提。金明池和琼林苑里所进奉给皇家的鲜鱼、莲藕及水果等，皇上再传谕赏给臣僚或下属多少不等。皇宫后苑的作坊进献的小龙船，安装着象牙雕刻、镶嵌着翡翠玉饰，工艺之精巧简直登峰造极。随驾听候宣唤的艺人并在金明池里的御前进行表演的，在宣和、政和年间非常著名的有张艺多、浑身眼、宋寿香、尹士安演奏小乐器，李外宁表演水傀儡，其馀的难以一一列举。金明池边上卖的饮食有：水饭、凉水绿豆、螺蛳肉、饶梅花酒、山楂片、杏片、梅子、香药脆梅、旋切鱼脍、青鱼、咸鸭蛋、杂和辣菜等。金明池上水军操练之后，达官贵人之家用双缆黑漆平船，挂紫帷帐，并罗列家乐到池上游玩。宣和、政和年间，也有出租大小游船的，准许士大夫和普通百姓游赏，租价高低不等。

## 驾回仪卫

驾回则御裹小帽，簪花乘马。前后从驾臣寮①，百司仪卫，悉赐花②。大观初，乘骢马至太和宫前，忽宣小乌③，其马至御前，拒而不进，左右曰："此愿封官。"敕赐龙骧将军，然后就辔，盖小乌平日御爱之马也。莫非锦绣盈都，花光满目，御香拂路，广乐喧空，宝骑交驰，彩棚夹路。绮罗珠翠，户户神仙，画阁红楼，家家洞府。游人士庶，车马万数。妓女旧日多乘驴，宣、政间惟乘马，披凉衫④，将盖头背系冠子上。少年狎客，往往随后，亦跨马，轻衫小帽。有三五文身恶少年控马，谓之"花褪马"，用短缰促马头刺地而行，谓之"鞅缰"。呵喝驰骤，竞逞骏逸。游人往往以竹竿挑挂终日关扑所得之物而归。仍有贵家士女，小轿插花，不垂帘幕。自三月一日至四月八日闭池，虽风雨亦有游人，略无虚日矣。

是月季春，万花烂熳，牡丹、芍药、棣棠、木香，种种上市。卖花者以马头竹篮铺排，歌叫之声，清奇可听。晴帘静院，晓幕高楼，宿酒未醒，好梦初觉，闻之莫不新愁易感，幽恨悬生，最一时之佳况。诸军出郊，合教阵队。

[注释]

①臣寮：即臣僚。"寮"之义亦同"僚"。②赐花：皇帝对臣僚或近侍赏给真花或绢花使戴在头上，表示恩遇，这种做法在北宋比较流行。蔡絛《铁围山丛谈》卷一记云："国朝燕集，赐臣僚花有三品。……此盛朝之故事云。"③小乌：宋徽宗心爱的一匹小黑马的宠名。关于这匹马，除《东京梦华录》

之外，其他的宋人笔记也有记述。百岁寓翁《枫窗小牍》卷上记云："徽庙尝乘骢马至太和宫前，忽宣平日所爱小乌马至御前，马足不肯进，左右鞭之，益鸣跳不如调训。时围人进曰：'此愿封官耳。'上曰：'猴子且官供奉，况小乌白身邪？'敕赐龙骧将军，帖然就辔。"④凉衫：宋代习俗，士人骑马外出时，在朝服外面又蒙一件浅青黑色的外罩，称为凉衫。高承《事物纪原》卷三云："近岁京师士人朝服乘马，以黪衣蒙之，谓之凉衫，亦古遗法也。"这里说妓女出行也披凉衫，可见并非只有士人如此。

**[译文]**

　　圣驾回宫时，皇上头戴至尊小帽，帽上插着簪花，乘坐一匹御马，前后护持的陪驾臣僚，以及内宫各部门的仪仗侍卫等人，都被皇上赐给簪花。大观初年，皇上回宫骑着一匹青骢马走到太和宫前面的时候，忽然呼唤他的爱马"小乌"，这小乌来到皇上面前时却停下来不肯再进一步。皇上身边的人说："这小马希望皇上封官。"于是皇上传谕赐小乌为"龙骧将军"，然后小乌就服服帖帖接受缰绳了，这是因为小乌平常就是皇上最宠爱的马。圣驾返宫的队伍真个是锦衣绣裳充盈于京城，花色光影耀人之眼目，御香缥缈缭绕于道路，钧天广乐喧震于晴空，宝马争先奔驰，彩棚夹道排列。可谓是绮罗珠翠，户户赛过神仙；画阁红楼，家家如同洞府。出外游玩的士大夫和普通百姓，所乘坐的车马何止千万。妓女们往日大都是骑驴，宣和、政和年间一律骑马了，她们身披凉衫，将盖头背到身后系在帽子上。那些年轻风流子弟，常常跟在她们后面，也骑着马，穿戴着轻衫小帽。有三五个身上文着各种图案的无赖轻薄少年子弟勒马追随，叫做"花褪马"，他们用短缰绳甩打着马头，使马头贴地而行，这叫做"鞅缰"。这伙人吆喝着奔跑着，比赛似的纵马飞奔。出去游玩的人，常常是用竹竿挑挂着一天当中进行关扑所获得的东西，乘兴而归。还有显贵人家的士女，乘着小轿，头上插花，轿门不挂帘子。从三月初一日到四月初八日金明池关闭，即使是风雨天也有游人,几乎没有空过一天。

  这个三月份叫做季春,万花烂熳,牡丹、芍药、棣棠、木香等各种名花纷纷上市。卖花的人用马头竹篮铺排着各种鲜花,唱着叫着的卖花声,清新奇异、悦耳动听。晴天挂帘的安静小院,清晨遮帷的高楼大宅,昨夜的醉酒还没有醒来,一宿的好梦还做得正香,这些人听到卖花人的叫卖声,无不感到新愁又添,旧怨再起,最是令人惆怅不已。禁军各部又要列队出城,进行操练了。

# 卷之八

## 四月八日

四月八日佛生日，十大禅院各有浴佛①斋会。煎香药糖水相遗，名曰"浴佛水"。迤逦时光昼永，气序清和。榴花院落，时闻求友之莺；细柳亭轩，乍见引雏之燕。在京七十二户诸正店，初卖煮酒，市井一新。唯州南清风楼最宜夏饮。初尝青杏，乍荐樱桃，时得佳宾，觥酬②交作。是月茄瓠初出上市，东华门争先供进，一对可直③三五十千者。时果则御桃、李子、金杏、林檎④之类。

[注释]

①浴佛：佛教徒于四月初八日释迦牟尼诞辰日举行浴礼，用水灌佛像，称为浴佛，也称灌佛。这种活动在汉代已有，《后汉书·陶谦传》云："（笮融）大起浮屠寺……每浴佛，辄多设饮饭，布席于路。"唐代时浴佛活动更为流行。韩鄂《岁华纪丽》卷二"四月八日·浴释迦"一节的注文中引录《荆楚岁时记》云："荆楚以四月八日诸寺各设会，香汤浴佛，共作龙华会，以为弥勒下生之征也。"北宋时浴佛亦流行。金盈之《醉翁谈录》卷四云："（四

月）八日，诸经说佛生日，不同其指，言四月八日生者为多。《宿愿果报经》云：'我佛世尊生是此日，故用四月八日灌佛也。'南方多用此日，北人专用腊八。"②酧：原本作"酧"，即"酬"的俗字。③直：同"值"。④林檎：即沙果。见卷之二"饮食果子"一节注④。

[译文]

　　四月初八日是佛祖的生日，京城里的十大禅院各有浴佛斋会。人们把煎香药的糖水互相赠送，名叫"浴佛水"。转眼不久就会觉得白天的天长了，时节到春夏之交，天气清明温和。开着石榴花的小院落内，不时传来求偶的莺歌；细柳抽条的凉亭轩中，初次见到引雏的燕喃。京城里七十二家正规酒店，开始出售青梅煮酒，市井的容貌焕然一新。只有城南的清风楼最适宜夏天在这里饮酒。初次品尝新鲜的青杏，刚刚送来采摘的樱桃，此时得遇佳宾，正好举杯互敬开怀畅饮。这个月茄子和瓠子等新鲜蔬菜也开始上市，在东华门那里郊外的菜农争先把新菜供应到官中，一对茄子或瓠子可值三五十千钱。时鲜水果则有御桃、李子、金杏、沙果等。

## 端　午

　　端午节物：百索①、艾花、银样鼓儿、花花巧画扇、香糖果子、粽子、白团、紫苏、菖蒲、木瓜。并皆茸切②，以香药相和，用梅红匣子盛裹。自五月一日及端午前一日，卖桃、柳、葵花、蒲叶、佛道艾。次日，家家铺陈于门首，与粽子、五色水团、茶酒供养。又钉艾人③于门上。士庶递相宴赏。

[注释]

　　①百索：古代端午节风俗，用各种索子挂在门上，遏阻邪气入侵。高承《事物纪原》卷八引《续汉书》云："夏至阴气萌作，恐物不成，以朱索连以

桃印，文施门户。故汉五月五日以朱索五色，即为门户饰，以难止恶气，今有百索，即朱索之遗事也。盖始于汉，本以饰门户，而今人以约臂，相承之误也。又以彩丝结纽而成者，为百索纽，以作服者名五丝云。"②茸切：即切成细丝。指上面罗列的紫苏、菖蒲、木瓜等。陈元靓《岁时广记》卷二十一引《岁时杂记》云："都人以菖蒲、生姜、杏、梅、李、紫苏，皆切如丝，入盐曝干，谓之百草头。或以糖蜜渍之，纳梅皮中，以为酿梅。皆端午果子也。"③艾人：用艾草扎成的小人儿，端午节挂在门前驱邪。陈元靓《岁时广记》卷二十一引《岁时杂记》云："古端午词云：'门儿高挂艾人儿……今朝正及时。'"

[译文]

端午节要备办的东西有：百索、艾花、银样鼓儿、花花巧画扇、香糖果子、粽子、白团、紫苏、菖蒲、木瓜。其中紫苏、菖蒲、木瓜等都要切成细丝，用香药互相拌和在一起，用梅红匣子盛着。从五月初一日到端午节的前一天，街上有卖桃、柳枝、葵花、蒲叶、佛道艾等东西的。第二天，各家都把这些东西铺排在门前，和粽子、五色水团、茶酒等一起供奉神灵。还用艾草扎成小人儿钉在门上。士大夫和普通百姓都互相邀请共度端午佳节。


## 六月六日崔府君生日，二十四日神保观神生日

六月六日，州北崔府君①生日，多有献送，无盛如此。二十四日，州西灌口二郎②生日，最为繁盛。庙在万胜门外一里许，敕赐神保观，二十三日御前献送。后苑作③与书艺局④等处，制造戏玩，如球杖、弹弓、弋射之具、鞍辔、衔勒、樊笼之类，悉皆精巧，作乐迎引至庙。于殿前露台上设乐棚，教坊钧容直作乐，更互杂剧舞旋。太官局⑤供食，连夜二十四盏，各有节次。

至二十四日，夜五更争烧头炉香，有在庙止宿、夜半起以争先者。天晓，诸司及诸行百姓献送甚多。其社火⑥呈于露台之上，所献之物，动以万数。自早呈拽⑦百戏，如上竿、趯弄、跳索、相扑、鼓板小唱、斗鸡、说诨话、杂扮、商谜、合笙⑧、乔筋骨、乔相扑、浪子杂剧、叫果子、学像生、倬刀⑨、装鬼、砑鼓⑩、牌棒、道术之类，色色有之，至暮呈拽不尽。殿前两幡竿，高数十丈，左则京城所⑪，右则修内司⑫，搭材分占，上竿呈艺解。或竿尖立横木，列于其上，装神鬼，吐烟火，甚危险骇人。至夕而罢。

[注释]

①崔府君：宋代民间所敬之神。高承《事物纪原》卷七云："（祠）在京城北，即崔府君祠也。相传唐滏阳令没为神，主幽冥，本庙在磁州。淳化中民于此置庙，至道二年，晋国公主石氏祈有应，以事闻，诏赐名护国。景祐二年七月，封护国应显公。"崔府君名未详，其庙其神在宋代颇为灵应。钱彩所著小说《说岳全传》第二十回"金营神鸟引真主，夹江泥马渡康王"，即写崔府君祠中的神显灵，让泥马现形驮康王渡江，逃生脱险。②灌口二郎：即传说中的二郎神，一般认为是秦朝修筑都江堰的李冰之子。朱熹《朱子语录》云："蜀中灌口有二郎庙，当时是（秦）李冰因开离堆有功立庙……乃是他的二儿子。"但朱熹未明言其名。《封神演义》和《西游记》小说中说二郎神是杨戬。元杂剧《灌口二郎斩健蛟》中写嘉州太守赵煜忠正爱民，死后被封为灌口二郎真君。清代杨潮观的《吟风阁杂剧》有《灌口二郎初显圣》，写二郎神是秦朝蜀太守李冰的二儿子李二郎。这里说北宋汴京城中的二郎庙，所指当是李冰次子。高承《事物纪原》卷七云："元丰时国城之西，民立灌口二郎神祠，云神永康导江县广济王子，王即秦李冰也。"③后苑作：皇宫内苑里的作坊，是宫廷"内诸司"之一。见本书卷之一"内诸司"一节。④书艺局：即翰林书艺局，是宫廷"内诸司"之一。见本书卷之一"内诸司"一节。⑤太官局：即宫廷"内诸司"中六尚局之一的尚食局。见本书卷之一"内诸司"一节。⑥社火：古代节日迎神赛会所扮演的杂剧或杂耍。范成大《石湖集》卷二十

三《上元记吴中节物》诗中有"颠狂社舞呈"一句,后有注云:"民间鼓乐,谓之社火,不可悉记,大抵以滑稽取笑。"⑦呈拽:即安排之意。见本书卷之六"元宵"一节注⑥。⑧合笙:即合生。见本书卷之五"京瓦伎艺"一节注⑰。⑨倬刀:即掉刀。卷之五"京瓦伎艺"一节有"杂剧、掉刀、蛮牌",卷之七"驾登宝津楼诸军呈百戏"一节有"棹刀",可参照。⑩迓鼓:即"迓鼓"。"砑"为"迓"字之讹。迓鼓即民间的鼓舞。本来官府中有衙鼓,民间讹"衙"为"迓",称为"迓鼓"。元代成为一种民间乐曲,也成为杂剧中的一个曲牌,称为"村里迓鼓"。张小山《幽居次韵》散曲云:"舞元宵迓鼓,摸索着大肚皮装村酒葫芦。"(见《朝野新声太平乐府》卷一"蟾宫曲")清末俞樾《茶香室续钞》卷七有"村里迓鼓"一则考辨其事。⑪京城所:即京城守具所。见本书卷之一"东都外城"一节注⑩。⑫修内司:皇宫外诸司之一。参见本书卷之一"外诸司"一节。

[译文]

　　六月初六日,城北崔府君祠逢崔府君生日,许多人都去奉献供品,没有比这里更为繁盛的了。六月二十四日,城西灌口二郎庙逢二郎神生日,也是最为繁盛的地方之一。二郎庙在万胜门外一里左右,皇上亲自赐予庙名为"神保观",二十三日皇宫中就派人前来奉献供品。官廷里的作坊和翰林书艺局等部门,制造出一些游戏娱乐用品,如球杖、弹弓、捕鸟用具、马鞍、辔头、马嚼子、铁木笼子等,都非常精致而工巧,由乐队奏乐迎接或引领这些物品到庙中。在祠庙中正殿前面搭建露台并设置乐棚,教坊司或军乐队演奏音乐,还穿插演出杂剧和舞蹈。官廷里的太官局供应饮食,通宵有二十四盘或碗,各有一定的规程。到六月二十四日,夜间五更天的时候人们都想争先烧头炉香,为此有人就在庙里住宿,半夜就起身等待着争个第一。天亮时,官廷中各部门以及各行各业的百姓们来上供烧香的就更多了。杂剧和杂耍表演就在露台上进行,所献纳的供品,动辄成千上万。从早晨就开始安排百戏表演,如上竿、趯弄、跳索、相扑、鼓板、小唱、斗鸡、说诨话、杂扮、商谜、合笙、乔筋骨、乔相扑、浪子杂剧、叫果子、学像生、掉刀、装鬼、迓鼓、牌棒、道术等，应有尽有，到天黑都表演不完。大殿前面竖起两根幡竿，高几十丈，左边的那根是京城所竖的，右边的那根是修内司竖的，这两家分别出材料搭建并分别进行管理，在这两根高竿上表演各种精彩的节目。或者在高竿顶上固定一根横木，人爬到那横木上，装出神鬼的形象，口吐烟火，特别危险吓人。到傍晚表演才结束。

## 是月巷陌杂卖

是月时物，巷陌路口，桥门市井，皆卖大小米水饭、炙肉、干脯、莴苣笋、芥辣瓜儿、义塘甜瓜、卫州白桃、南京金桃、水鹅梨、金杏、小瑶李子、红菱、沙角儿、药木瓜、水木瓜、冰雪凉水、荔枝膏，皆用青布伞，当街列床凳堆垛。冰雪惟旧宋门外两家最盛，悉用银器，沙糖菉豆[①]、水晶皂儿、黄冷团子、鸡头穰、冰雪、细料馉饳儿、麻饮鸡皮、细索凉粉、素签、成串熟林檎、脂麻团子、江豆碢儿[②]、羊肉小馒头、龟儿沙馅之类。都人最重三伏，盖六月中别无时节，往往风亭水榭，峻宇高楼，雪槛冰盘，浮瓜沉李，流杯曲沼，苞鲊新荷，远迩笙歌，通夕而罢。

[注释]

①菉豆：即绿豆。"菉"是"绿"的通假字。见卷之七"池苑内纵人关扑游戏"注⑤。下节"七夕"中"菉豆"亦如此。②江豆碢儿："碢"即"砣"字。"江豆碢儿"即"江豆砣"，也就是江豆糕。

[译文]

这个月的时新吃食，在大街小巷的路口，以及桥头门洞和闹市区，都有卖大小米水饭、炙肉、干脯、莴苣笋、芥辣瓜儿、义塘甜瓜、卫州白桃、南京金桃、水鹅梨、金杏、小瑶李子、红菱、沙角儿、药木瓜、水木瓜、冰雪凉水、荔枝膏等，都用青布伞，当街排列着床凳，在上面堆垛着这些东西。卖冰雪冷饮的只有旧宋门外的两家生意最好，都用银质餐具，同时出售的有沙糖绿豆、水晶皂儿、黄冷团子、鸡头穰、冰雪、细料馉饳儿、麻饮鸡皮、细索凉粉、素签、成串熟林檎、脂麻团子、江豆糕、羊肉小馒头、龟儿沙馅等。京城里的人最看重三伏天，这是因为六月当中别的就没有什么节日了，人们总是或者在风亭水榭，或者在峻宇高楼，坐在有冰雪降温的凉厅之中，享受着冰盘冷饮，品尝着冰凉水中浸泡的甜瓜、鲜李等瓜果，斟酒传杯，面对窗外水面，观赏着游鱼荷花，听着远近传来的笙歌之声，常常在这里逗留通宵才离去。

# 七夕

　　七月七夕，潘楼街东宋门外瓦子、州西梁门外瓦子、北门外、南朱雀门外街及马行街内，皆卖磨喝乐①，乃小塑土偶耳。悉以雕木彩装栏座，或用红纱碧笼，或饰以金珠牙翠，有一对直②数千者。禁中及贵家与士庶为时物追陪。又以黄蜡铸为凫雁、鸳鸯、䴔䴖③、龟鱼之类，彩画金缕，谓之"水上浮"。又以小板上傅土，旋种粟令生苗，置小茅屋花木，作田舍家小人物，皆村落之态，谓之"谷板"。又以瓜雕刻成花样，谓之"花瓜"。又以油面糖蜜造为笑靥儿，谓之"果食花样"④。奇巧百端，如捺香⑤方胜⑥之类。若买一斤，数内有一对被介胄者，如门神之像，盖自来风流，不知其从，谓之"果食将军"。又以菉豆、小豆、小麦于磁器内以水浸之，生芽数寸，以红、蓝彩缕束之,谓之"种生"。皆于街心彩幕帐设出络货卖。七夕前三五日,车马盈市,罗绮满街。旋折未开荷花,都人善假做双头莲,取玩一时,提携而归,路人往往嗟爱。又小儿须买新荷叶执之,盖效颦磨喝乐。儿童辈特地新妆,竞夸鲜丽。至初六日、七日晚,贵家多结彩楼于庭,谓之"乞巧楼"⑦,铺陈磨喝乐、花瓜、酒炙、笔砚、针线,或儿童裁诗,女郎呈巧,焚香列拜,谓之"乞巧"。妇女望月穿针,或以小蜘蛛安盒子内,次日看之,若网圆正,谓之"得巧"。里巷与妓馆,往往列之门首,争以侈靡相向。("磨喝乐",本佛经"摩睺罗",今通俗而书之)

[注释]

①磨喝乐:宋元时的习俗,七夕供一土偶,取佛教中的一种神摩睺罗伽的名字,叫摩睺罗,也写作摩睺罗、摩喉罗、摩侯罗、磨喝乐、魔合罗等。吴自牧《梦粱录》卷四"七夕"一节云:"内庭与贵宅皆塑卖磨喝乐,又名摩睺罗孩儿。悉以土木雕塑,更以造彩装栏座,用碧纱罩笼之,下以桌面架之,用青绿销金桌衣围护,或以金玉珠翠装饰尤佳。"元代有孟汉卿所撰杂剧《张鼎智勘魔合罗》。②直:同"值"。③鸂鶒(xīchì):水鸟名,形状与鸳鸯相似而身体较大,多为紫色,在水面上雌雄结对而游,或称为紫鸳鸯。④果食花样:古代风俗,用面加糖做成人形状的食品。陈元靓《岁时广记》卷二十六引《岁时杂记》云:"京师人以糖面为果食,如僧食。但至七夕,有为人物之形者,以相饷遗。"⑤捺香:一种香名,又名捺多、和罗。《宋书·范晔传》中有《和香方序》云:"甘松、苏合、安息、郁金、捺多、和罗之属,并被珍于外国,无取于中土。"⑥方胜:两个菱形互相压角相叠成而组成的图案或花样。用纸叠或者用彩线编织成这样的图案,都叫方胜。元代王实甫的杂剧《西厢记》第三本第一折中,红娘在《后庭花》一曲中唱道:"不移时,把花笺锦字,叠做个同心方胜儿。"这里写七夕习俗制作的方胜泛指各种方胜。⑦乞巧楼:古代风俗认为,七月七日夜晚是天上的牛郎和织女相会的时候,民间妇女在这天晚上穿针,称为乞巧。乞巧的习俗由来已久。南朝梁时宗懔《荆楚岁时记》云:"七夕妇女结彩楼,穿七孔针,或以金银鍮石为针,陈瓜

果于庭中以乞巧。有喜子结于网上，则以为得。"（喜子即蜘蛛）妇女们进行乞巧活动时搭建的棚架，称为乞巧楼。

[译文]

　　七月初七日的夜晚，潘楼街东宋门外的瓦子、城西梁门外的瓦子、北门外、南朱雀门外街及马行街里，都有卖磨喝乐的，这不过是一种雕塑的小佛像而已。大都是用好木雕刻而成并涂上色彩装在一个栏座上，或者用红纱碧笼子装着，或者有金银珍珠象牙翡翠精心装饰，有的磨喝乐一对可价值数千钱。皇宫中及显贵之家和普通士大夫百姓等，都把这种磨喝乐当做一种时髦的物件买来作为节日礼品。还用黄蜡浇铸成凫雁、鸳鸯、鸂鶒、龟鱼等动物的形状，外面加以彩绘或雕刻，这些叫做"水上浮"。又用一块木板，上面铺一层土，土里种上谷子让它长出苗来，还在木板上布置小茅屋和花木等，再做一些农家的小人儿，整体呈现出一个村落环境的缩小景观，这叫做"谷板"。又把瓜雕刻成各种花样，这叫做"花瓜"。又用油和面加上糖或蜜做成咧嘴笑的娃娃头，这叫做"果食花样"。还有其他各种各样的奇巧物件，如捺香、方胜等。如果买一斤这一类的果食花样，其中必定有一对身穿盔甲模样的人，就像门神上的武士似的，其形象逼真，不知所指的是历史上的什么人，这叫做"果食将军"。又把绿豆、小豆、小麦放在陶瓷器皿中用水浸泡着，长出几寸长的嫩芽，再用红、蓝彩色布条把青苗系成一把一把的，这叫做"种生"。上面制作的这些物件，都在街当中张挂起彩幕或帷帐并加以装饰进行出售。七夕前的三五天当中，车马盈路，锦绣满街。刚采摘的还没有开放的荷花苞儿，城里人善于造假把它做成双头莲，赏玩一会儿，用手提着从外边回来，路上有人看见就信以为真，赞赏一番深表喜爱。还有小孩子们都想买一片新荷叶拿在手里，这是因为要模仿磨喝乐的滑稽样子。孩子们都特地换上新衣裳，互相攀比着炫耀自己的衣服鲜艳漂亮。到了初六、初七日的夜晚，显贵之家大都在自家庭院里搭建一座彩楼，叫做"乞巧楼"，楼棚里面摆上磨喝乐、花瓜、酒菜、笔砚、针线，或者让孩子们念诵诗句，让女孩子们穿针显示手巧，同时焚香行礼，这叫做"乞巧"。妇女们对着一弯新月穿针引线，或者把小蜘蛛放在一个纸盒子里，第二天观察它，如果蜘蛛结的网又圆又正，这就叫做"得巧"了。背街小巷的住户及妓院里，常见把这些七夕节日礼物摆在门口，竞争似的夸耀着富有和排场。（"磨喝乐"的名称，原本来自佛经中的神名"摩睺罗"，这里按照通俗的说法来记述）

# 中元节

七月十五日中元节。先数日，市井卖冥器、靴鞋、幞头、帽子、金犀假带、五彩衣服，以纸糊架子盘游出卖。潘楼并州东西瓦子亦如七夕。要闹处亦卖果食、种生①、花果之类，及印卖《尊胜目连经》。又以竹竿斫成三脚，高三五尺，上织灯窝之状，谓之"盂兰盆"②，挂搭衣服冥钱在上焚之。构肆③乐人，自过七夕，便般④《目连救母》杂剧⑤，直至十五日止，观者增倍。中元前一日，即卖练叶⑥，享祀时铺衬桌面。又卖麻谷窠儿，亦是系在桌子脚上，乃告祖先秋成之意。又卖鸡冠花，谓之"洗手花"⑦。十五日供养祖先素食，才明即卖穄米⑧饭，巡门叫卖，亦告成意也。又卖转明菜花、花油饼、馂䭇⑨、沙䭇之类。城外有新坟者，即往拜扫。禁中亦出车马诣道者院⑩谒坟，本院官给祠部十道⑪，设大会，焚钱山，祭军阵亡殁，设孤魂之道场。

[注释]

①种生：把绿豆、小豆、小麦等粮食放在陶瓷器皿中用水浸泡生芽，叫做"种生"。见上节"七夕"中的记述。②盂兰盆：盂兰，梵语为乌蓝婆拿，

意译为"救倒悬"，盆为食器。谓用百味五果放在盂兰盆中，供养众僧，请佛降恩以解众生倒悬之苦。佛经有《盂兰盆经》，讲说盂兰盆的缘起以及修行的方法。宋代有在七月十五日设盂兰盆会的风习。高承《事物纪原》卷八云："今世每七月十五日，营僧尼供，谓之盂兰斋者。"③构肆：即勾栏瓦肆。因"勾栏"也写作"构栏"。见卷之二"东角楼街巷"注④。④般：即"搬"的通假字，搬演杂剧之意。⑤《目连救母》杂剧：演述目连故事的戏曲由来已久，北宋时出现的《目连救母》杂剧已是比较长的连台本戏，可以连续演出七天。后来明代又出现《目连救母劝善戏文》，清代有宫廷大戏《劝善金科》，地方戏有《目连传》、《目连救母》等，总称为"目连戏"。⑥楝叶：即竹叶。《庄子·秋水》中云："非梧桐不止，非楝实不食"，楝实即竹实，后世亦称竹叶为楝叶。⑦洗手花：宋代称鸡冠花为洗手花，并在中元节时用它供奉祖先。百岁寓翁《枫窗小牍》卷下云："鸡冠花汴中谓之洗手花，中元节前儿童唱卖以供祖先。"⑧穄（jì）米：一种谷物，也叫糜子，碾成的米称为黄米。⑨馂馅：一种食品。见卷之三"马行街铺席"一节注①。⑩道者院：见卷之六"收灯都人出城探春"一节注⑥。⑪祠部十道：祠部为古代官名。三国魏时设有祠部尚书，掌礼制，晋以后因之，北周改为礼部。隋唐时别置祠部曹，属于礼部，专掌祠祀、享祭、天文、漏刻、国忌、庙讳、卜筮、医药及僧尼之事。北宋时设祠部郎中，见《宋史·职官三》。这里说"祠部十道"，当是指祠部下属的各个部门。

[译文]

七月十五日是中元节。此前的几天当中，街上有卖冥器、靴鞋、幞头、帽子、金犀假带、五彩衣服等物品的，摆放在用纸糊的木架子上转游着叫卖。潘楼及城内东西的瓦肆里也和七夕的情况相似。热闹的地方也有人卖果食、种生、花果之类的东西，以及印刷《尊胜目连经》拿出来卖。又有人把竹竿砍成三条腿，高三五尺，上面编织成灯窝的形状，叫做"盂兰盆"，挂搭着一些衣服及冥钱在上面一块儿烧掉。勾栏瓦肆里演奏乐器的艺人，从过罢七夕起，就开始搬演《目连救母》杂剧，直到十五日止，观众每天成倍增加。中元节的前一天,就有人卖竹叶,这是为了在祭祀时把它铺衬在桌面上。又有卖麻谷窠儿的,也是为了在祭祀时系在桌子腿上,有向祖先报告秋天好收成的意思。还有卖鸡冠花的,叫做"洗手花"。十五日给祖先上供的是斋饭,刚天亮就有人卖穄米饭,巡门叫卖,也有向祖先报告秋天好收成的意思。还有卖转明菜花、花油饼、馂豏、沙豏等东西的。城外有新坟的人家,就要前往拜祭扫墓。皇宫中也要出动车马往道者院去上坟,宫中的内官会同祠部下属的各个部门,设置大会,焚烧钱山,祭奠作战中阵亡的军士们,设置为这些孤苦亡灵招魂的道场。

# 立 秋

立秋日,满街卖楸叶,妇女儿童辈,皆剪成花样戴之。是月,瓜果梨枣方盛。京师枣有数品,灵枣、牙枣、青州枣、亳州枣。鸡头①上市,则梁门里李和②家最盛,中贵戚里,取索供卖。内中泛索,金合③络绎。士庶买之,一裹十文,用小新荷叶包,糁以麝香,红小索儿系之。卖者虽多,不及李和一色拣银皮子嫩者货之。

[注释]

①鸡头:一种水生植物,俗称鸡头菱,种子名叫芡实。②李和:北宋末汴京城里善炒栗子的一个生意人。陆游《老学庵笔记》卷二曾记其事迹云:"故都李和炒栗,名闻四方。他人百计效之,终不可及。绍兴中,陈福公及钱上阁恺,出使虏廷,至燕山,忽有两人持炒栗各十裹来献,三节人亦人得一裹。自赞曰:李和儿也。挥泪而去。"这里记李和店里鸡头最盛,看来他不仅会炒栗子,而且也善于炒芡实。③金合:即金盒。"合"是"盒"的通假字。

[译文]

立秋那天,满街有卖楸树叶子的,妇女和孩子们,都把楸叶剪成花样戴在头上。这个月份，瓜果梨枣等正是旺季。京城里的大枣有好几个等次，如灵枣、牙枣、青州枣、亳州枣等各不相同。鸡头上市的时候，数梁门里李和店里的生意最好，达官显贵及皇亲国戚等，都来要货，李和首先满足他们。皇宫里来采买的人只管提出要求，用金盒盛装带走者络绎不绝。一般士大夫和百姓来买，一包十文钱，用小片新鲜荷叶包着，并且掺一点点麝香，用红色小绳儿系着。卖这种芡实的虽然有好多家，但是都比不上李和店里清一色的白皮嫩肉卖得最好。

# 秋 社

八月秋社①，各以社糕、社酒相赉送。贵戚宫院以猪羊肉、腰子、奶房、肚肺、鸭饼、瓜姜之属，切作棋子片样，滋味调和，铺于饭上，谓之"社饭"，请客供养。人家妇女皆归外家，晚归，即外公姨舅皆以新葫芦儿、枣儿为遗，俗云"宜良外甥"。市学先生预敛诸生钱作社会，以致雇倩祇应白席歌唱之人。归时各携花篮、果实、食物、社糕而散。春社、重午②、重九③亦是如此。

[注释]

①秋社：古代习俗，在立秋之后的第五个戊日，农家秋收已毕，立社设祭，以酬土神，称为秋社。陈元靓《岁时广记》卷十四云："《统天万年历》曰：立春后五戊为春社，立秋后五戊为秋社。如戊日立春立秋，则不算也。"②重（chóng）午：即五月初五日端午节。吴自牧《梦粱录》卷三"五月"一节云："五日重午节，又曰浴兰令节。"③重（chóng）九：即九月初九日重阳节。

[译文]

八月举行秋社的这天，各家都用社糕、社酒互相赠送。达官显贵、皇亲国戚之家及宫廷中，都用猪羊肉、腰子、奶房、肚肺、鸭饼、瓜姜等，切作棋子那么大的小片，加上各种调料拌和均匀蒸熟，铺在饭上，叫做"社饭"，邀请宾客一同享用。普通百姓人家的妇女都要走娘家，晚上回来的时候，娘家的父亲及兄弟姊妹都拿出一些新葫芦儿、新枣儿作为礼物送给她，俗话说这叫"宜良外甥"。学堂里的教书先生预先收取学生们的钱举行秋社的有关活动，以便用这钱雇请前来学堂里帮忙、捧场或唱歌的各种人。散场的时候各人携带着花篮、果物、食品、社糕等离去。春社、端午节、重阳节也都是这样。

# 中 秋

中秋节前，诸店皆卖新酒，重新结络门面彩楼，花头画竿，醉仙锦旆，市人争饮。至午未间，家家无酒，拽下望子[1]。是时螯蟹新出，石榴、榅勃、梨枣、栗、孛萄[2]、弄色枨[3]橘，皆新上市。中秋夜，贵家结饰台榭，民间争占酒楼玩月，丝篁[4]鼎沸。近内庭居民，夜深遥闻笙竽之声，宛若云外。闾里儿童，连宵嬉戏，夜市骈阗，至于通晓。

[注释]

①望子：古代酒店的招帘，或称酒旗。清翟灏《通俗编》卷二十六"器用·望子"云："《广韵》：'青帘，酒家望子。'按今江以北，凡市贾所悬标识，悉呼望子。讹其音，乃云幌子。"②孛萄：即葡萄。③枨：即橙子。④丝篁：即丝簧，泛指各种弦管乐器。"篁"是"簧"的通假字。

[译文]

中秋节前，各店里都卖新酒，商店的门面彩楼装饰一新，竖起雕绘有花头的画竿，悬挂写有"醉仙"字样的锦旗。城里的人争先到店里饮酒，到正晌午的午未时分，各个酒店的酒都卖完了，就把悬挂的酒帘子扯下来。这时大闸蟹刚刚送到，各种水果如石榴、榅勃、梨枣、栗子、葡萄，青黄相杂的橙子和橘子，都刚刚上市。中秋节的夜晚，显贵之家搭建并装饰起高台低榭，普通百姓也纷纷到酒楼占下座位赏月。各种乐器一齐演奏，声音鼎沸，附近各家宅院里的居民们，在夜深时还能远远听到吹笙吹竽之声，就像从天上云间传来似的。大街小巷里的孩子们通宵在那里疯玩，夜市人声嘈杂，直到天亮。

# 重 阳

九月重阳，都下赏菊有数种。其黄白色蕊若莲房曰"万龄菊"，粉红色曰"桃花菊"，白而檀心①曰"木香菊"，黄色而圆者曰"金铃菊"，纯白而大者曰"喜容菊"，无处无之。酒家皆以菊花缚成洞户。都人多出郊外登高②，如仓王庙、四里桥、愁台、梁王城、砚台、毛驼冈、独乐冈等处宴聚。前一二日，各以粉面蒸糕遗送，上插剪彩小旗，掺钉果实，如石榴子、栗子黄、银杏、松子肉之类。又以粉作狮子蛮王之状，置于糕上，谓之"狮蛮"③。诸禅寺各有斋会，惟开宝寺、仁王寺有狮子会。诸僧皆坐狮子④上，作法事讲说，游人最盛。下旬即卖冥衣、靴鞋、席帽、衣段，以十月朔日烧献故也。

[注释]

①檀心：浅红色的花心。苏轼《腊梅一首赠赵景贶》诗云："君不见万

松岭上黄千叶，玉蕊檀心两奇绝。"（见《分类东坡诗》卷十四）②登高：古代在重阳节那天登高的风俗由来已久，传说始于东汉汝南人桓景。陈元靓《岁时广记》卷三十四引《续齐谐记》云："汝南桓景，随费长房游学累年，长房因谓景曰：'九月九日汝家当有灾厄。宜急去，令家人各作绛囊，盛茱萸以系臂，登高饮菊酒，祸乃可消。'景如其言，举家登山。夕还，见鸡犬牛羊一时暴死。长房闻之曰：'此可代之矣。'今世人九日登高饮酒、妇人带茱萸囊因此也。"③狮蛮：重阳节蒸糕上的粉制饰物，像是南蛮王坐骑狮子的形象。北宋时这种规矩很流行，不仅在民间，而且在宫廷中也这样做。吴自牧《梦粱录》卷五"九月"一节云："蜜煎局以五色米粉塑成狮蛮，以小彩旗簇之，下以麝香果子肉杵为细末，入麝香糖蜜和之，捏为饼糕小段，或如五色弹儿，皆入韵果糖霜，名之'狮蛮栗糕'，供衬进酒，以应节序。"④狮子：应当是石狮子，或者是有狮子图像的座位。因诸位僧人讲经说法不可能坐在真的狮子背上。

[译文]

九月重阳节，京城里的人观赏的菊花有多种：其中黄白色的花蕊像莲房似的，叫"万龄菊"；粉红色花蕊的叫"桃花菊"，白色花瓣而浅红色花心的叫"木香菊"，黄色花瓣而花朵呈圆形的叫"金铃菊"，纯白色而花朵很大的叫"喜容菊"，这些品种无处不在。各个酒店都用菊花扎缚成门洞。城里的人大都在重阳节这天出城到郊外登高，如在仓王庙、四里桥、愁台、梁王城、砚台、毛驼冈、独乐冈等处设宴聚会。前一两天，各家用粉面蒸糕互相赠送，糕上插着剪彩小旗，掺合一些果仁，如石榴子、栗子黄、银杏、松子肉等。又用粉面制作成狮子蛮王的形状，放在糕上，这叫做"狮蛮"。京城里各寺院都举行斋会，只有开宝寺、仁王寺举行狮子会。各位僧人都坐在石狮子座位上，作法事并讲经说法，这里的游人也最多。九月下旬就有卖冥衣、靴鞋、席帽、衣段等东西的，因为十月初一日祭祀时上供烧纸要用。

# 卷之九

## 十月一日

十月一日，宰臣已下受衣着锦袄，三日（今五日），士庶皆出城飨坟。禁中车马，出道者院①及西京②朝陵。宗室车马，亦如寒食节。有司进暖炉炭。民间皆置酒作暖炉会③也。

[注释]

①道者院：见本书卷之六"收灯都人出城探春"注⑥。②西京：即洛阳。北宋皇陵在洛阳东，今巩义市附近。③暖炉会：北宋习俗，十月初一日开始生火取暖，这天要举行一个仪式，称为暖炉会。金盈之《醉翁谈录》卷四云："旧俗十月朔开炉向火，乃沃酒及炙脔肉于炉中，围坐饮啖，谓之暖炉。"

[译文]

十月初一日，朝中宰相及其他上朝大臣要接受皇上赐给的锦袄，初三日（今初五日），士大夫和普通百姓人家都要出城祭坟。皇宫中的车马，也要到道者院和洛阳东边的皇家陵寝祭拜。皇家宗室的车马，也同寒食节的规矩一样。有关部门开始发送冬季取暖的炉炭。民间各家都要在这天举办一次暖炉会，热闹一下。

## 天宁节

初十日天宁节①。前一月，教坊集诸妓阅乐。初八日，枢密院率修武郎以上，初十日，尚书省宰执率宣教郎以上，并诣相国寺，罢散祝圣斋筵，次赴尚书省都厅赐宴。

[注释]

①天宁节：北宋各位皇帝的生日都规定为节日，宋徽宗生日这天为天宁节。王明清《挥麈前录》卷一云："本朝太祖二月十六日生为长春节；太宗十月七日生为乾明节，后改为寿宁节；真宗十二月二日生为承天节；仁宗四月十四日生为乾元节；英宗正月三日生为寿圣节；神宗四月十日生为同天节；哲宗十二月七日生避僖祖忌辰，以次日为兴龙节；徽宗十月十日生为天宁节；钦宗四月十三日生为乾龙节。"

[译文]

初十日是徽宗生日，规定为天宁节。前一个月，宫中教坊司召集各位妓家名乐手进行演奏排练。初八日，枢密院率领修武郎以上级别的官员，初十日，尚书省的宰相率领宣教郎以上级别的官员，都到相国寺去，停止各自安排的零散的拜佛敬神斋筵，然后都赶赴尚书省都堂的大厅中由圣上赐宴。

## 宰执亲王宗室百官入内上寿

十二日，宰执、亲王、宗室、百官入内上寿，大起居（摺笏舞蹈）①。乐未作，集英殿山楼上教坊乐人效百禽鸣，内外肃然，止闻半空和鸣，若鸾凤翔集。百官以下谢坐讫，宰执、禁从、亲王、宗室、观察使已上，并大辽、高丽、夏国使副，坐于殿上；诸卿少百官，诸国中节使人，坐两廊；军校以下，排在山楼之后。皆以红面青檄②黑漆矮偏钉③。每分④列环饼、油饼、枣塔为看盘，次列果子。惟大辽加之猪羊鸡鹅兔连骨熟肉为看盘，皆以小绳束之。又生葱韭蒜醋各一碟⑤，三五人共列浆水一桶，立杓数枚。教坊色长二人，在殿上栏干边，皆诨裹宽紫袍，金带义襕⑥，看盏斟御酒。看盏者举其袖，唱引曰"绥御酒"⑦，声绝，拂双袖于栏干而止。宰臣酒则曰"绥酒"，如前。教坊乐部列于山楼下彩棚中，皆裹长脚幞头，随逐部服紫、绯、绿三色宽衫，黄义襕，镀金凹面腰带。前列拍板，十串一行。次一色画面琵琶五十面。次列箜篌两座，箜篌高三尺许，形如半边木梳，黑漆镂花金装画，下有台座，张二十五弦，一人跪而交手擘之。以次高架大鼓二面，彩画花地金龙，击鼓人背结宽袖，别套黄窄袖，垂结带，金裹鼓棒，两手高举互击，宛若流星。后有羯鼓⑧两座，如寻常番鼓子，置之小桌子上，两手皆执杖击之，杖鼓⑨应焉。次列铁石方响⑩，明金彩画架子，双垂流苏。次列箫、笙、埙、篪、觱篥、龙笛之类，两旁对列杖鼓二百面，皆长脚幞头、紫绣抹额，背系紫宽衫，黄窄袖，结带黄义襕。诸杂剧色皆诨裹，各服本色紫、绯、绿宽衫，义襕镀金带。自殿陛对立，直至乐棚。每遇舞者入场，则排立者叉手，举左右肩，动足应拍，一齐群舞，谓之"挼曲子"（"挼"字仍回反）。

第一盏，御酒，歌板色⑪一名，唱中腔⑫一遍讫。先笙与箫笛各一管和，又一遍，众乐齐举，独闻歌者之声。宰臣酒，乐部起倾杯。百官酒，三台舞旋⑬，多是雷中庆。其馀乐人舞者，诨裹宽衫，唯中庆有官，故展裹。舞曲破撷⑭前一遍。舞者入场，至歇拍，续一人入场，对舞数拍。前舞者退，独后舞者终其曲，谓之"舞末"。

第二盏，御酒，歌板色，唱如前。宰臣酒，慢曲子。百官酒，三台舞如前。

第三盏，左右军百戏入场，一时呈拽⑮。所谓左右军，乃京师坊市两厢也，非诸军之军。百戏乃上竿、跳索、倒立、折腰、弄碗注、踢瓶、筋斗、擎戴之类，即不用狮豹大旗神鬼也。艺人或男或女，皆红巾彩服。殿前自有石镌柱窠⑯，百戏入场，旋立其戏竿。凡御宴至第三盏，方有下酒肉，咸豉爆肉、双下驼峰角子。

第四盏，如上仪。舞毕，发谭子⑰。参军色执竹竿拂子，念致语口号⑱。诸杂剧色打和，再作语，勾合大曲舞。下酒，榼炙子骨头、索粉、白肉胡饼。

第五盏，御酒，独弹琵琶。宰臣酒，独打方响。凡独奏乐，并乐人谢恩讫，上殿奏之。百官酒，乐部起三台舞，如前毕。参军色执竹竿子作语，勾小儿队舞。小儿各选年十二三者二百馀人，列四行，每行队头一名，四人簇拥，并小隐士帽，着绯、绿、紫、青生色花衫，上领四契⑲，义襕束带，各执花枝排定。先有四人裹卷脚幞头、紫衫者，擎一彩殿子⑳，内金贴字牌，擂鼓而进，谓之"队名牌"，上有一联，谓如"九韶翔彩凤，八佾舞青鸾"之句。乐部举乐，小儿舞步进前，直叩殿陛。参军色作语问，小儿班首近前，进口号。杂剧人皆打和毕，乐作，群舞合唱，且舞且唱。又唱《破子》毕，小儿班首入，进致语，勾杂剧入场，一场两段。是时教坊杂剧色，鳖膨、刘乔、侯伯朝、孟景初、王颜喜而下，皆使副也。内殿杂戏，为有使人预宴，不敢深作谐谑，惟用群队装其似像，市语谓之"拽串"。杂戏毕，参军色作语，放小儿队。又群舞《应天长》曲子出场。下酒，群仙炙、天花饼、太平毕罗、干饭、缕肉羹、莲花肉饼。驾兴歇座，百官退出殿门幕次。须臾追班，起居再坐。

第六盏，御酒，笙起慢曲子。宰臣酒，慢曲子。百官酒，三台舞，左右军筑球㉑。殿前旋立球门㉒，约高三丈许，杂彩结络，留门一尺许。左军球头苏述，长脚幞头，红锦袄，馀皆卷脚幞头，亦红锦袄，十馀人。右军球头孟宣，并十馀人，皆青锦衣。乐部哨笛杖鼓断送㉓。左军先以球团转，众小筑数遭，有一对次球头小筑数下，待其端正，即供球与球头，打大䪞㉔过球门。右军承得球复团转，众小筑数遭，次球头亦依前供球与球头，以大䪞打过。或有即便复过者胜。胜者赐以银碗锦彩，拜舞谢恩，以赐锦共披而拜也。不胜者，球头吃鞭，仍加抹抢㉕。下酒，假鼋鱼、蜜浮酥捺花。

第七盏，御酒，慢曲子。宰臣酒，皆慢曲子。百官酒，三台舞讫，参军色作语，勾女童队入场。女童皆选两军㉖妙龄容艳过人者四百馀人。或戴花冠，或仙人髻，鸦霞之服，或卷曲花脚幞头，四契红黄生色销金锦绣之衣。结束不常，莫不一时新妆，曲尽其妙。杖子头四人，皆裹曲脚向后指天幞头，簪花，红黄宽袖衫，义襕，执银裹头杖子。皆都城角者，当时乃陈奴哥、俎姐哥、李伴奴、双奴，馀不足数。亦每名四人簇拥，多作仙童丫髻仙裳，执花，舞步进前成列。或舞《采莲》，则殿前皆列莲花。槛曲亦进队名。参军色作语问队，杖子头者进口号，且舞且唱。乐部断送《采莲》讫，曲终复群舞，唱中腔毕，女童进致语，勾杂戏入场，亦一场两段讫。参军色作语，放女童队。又群唱曲子，舞步出场。比之小儿，节次增多矣。下酒，排炊羊、胡饼、炙金肠。

第八盏，御酒，歌板色，一名唱《踏歌》。宰臣酒，慢曲子。百官酒,三台舞,合曲破舞旋。下酒,假沙鱼、独下馒头、肚羹。

第九盏,御酒,慢曲子。宰臣酒,慢曲子。百官酒,三台舞。曲如前。左右军相扑。下酒,水饭、簇钉下饭。驾兴。

御筵酒盏,皆屈卮,如菜碗样,而有手把子。殿上纯金,廊下纯银。食器,金银镂漆碗碟也。宴退,臣僚皆簪花归私第,呵引从人皆簪花并破官钱。诸女童队出右掖门,少年豪俊争以宝具供送,饮食酒果迎接。各乘骏骑而归,或花冠,或作男子结束,自御街驰骤,竞逞华丽,观者如堵。省宴㉑亦如此。

[注释]

①大起居:朝臣上朝时在大殿向皇帝进行跪拜朝贺的正规仪式,中有多次起兴,故称为大起居。陈世崇《随隐漫录》卷一记云:"紫宸殿上寿,三十三拜,三舞蹈。初面西立,阁门进班齐牌,上升座鸣鞭,侍卫起居。……凡正旦朝贺一十九拜,三舞蹈。初面西立,上升座,阁门起居。"这里所记述的礼仪复杂而繁琐。本节所记是为徽宗皇帝上寿的大礼,当是"三十三拜,三舞蹈",是大起居的最隆重的礼仪。②橔:即"墩"字。草编或木制的坐具,今俗称草墩子、木墩子等。这里所记述的是众官的座位木墩子,上面蒙着红色的布面。③偏钉:词义费解,疑有误字。若从字面意思猜测,当是指众官所坐的木墩子是用黑漆漆过的,侧面钉有盖钉。④每分:即每份。古文中"分"与"份"通。⑤一楪:即一碟。"楪"是"碟"的通假字。⑥义襕:本节内有"义襕"多处,见卷之七"驾登宝津楼诸军呈百戏"一节注⑬。⑦绥御酒:"绥"字原作"膗"字,或作"啐"字。啐酒,即是在举行祭典已毕饮福酒。《礼记·乡饮酒义》云:"啐酒,成礼也。"前人疏云:"啐,谓饮主人酒而入口,成主人之礼。"这里"绥御酒",即是在为皇上庆寿的大礼进行完毕之后,开始饮用皇上所赐的御酒。唐李匡乂《资暇集》卷下云:"三台,今之膗酒。"膗即是"啐"字,宋代又演变为"绥"字,是因读音相近而讹。⑧羯鼓:古代羯族的乐器,即是羊皮鼓。唐代诸乐中龟兹部、高昌部、疏勒部、天竺部都用羯鼓。高承《事物纪原》卷二引《羯鼓录》云:"以戎羯之鼓,故曰羯鼓。"

⑨杖鼓：古代乐器名。以木为框，细腰，以皮蒙之，用五彩绣带装饰，左击以杖，右拍以手。唐代已使用杖鼓，见《新唐书·礼乐志》。宋代的杖鼓与唐代有所不同。沈括《梦溪笔谈》卷五"乐律"云："唐之杖鼓，本谓之两杖鼓，两头皆用杖。今之杖鼓，一头以手拊之，则唐之汉震第二鼓也。明帝宋开府皆善此鼓，其曲多独奏，如鼓笛曲是也。"⑩方响：古代的敲击乐器，磬类，始于南朝梁时。以十六枚铁片组成，其制上圆下方，大小相同，厚薄不一，分两排，悬于一架。以小铜锤击之，其声清浊不等，为隋唐时燕乐中常用之乐器。唐杜牧《樊川集》外集有《方响》诗。清末俞樾《茶香室四钞》卷二十三"醴陵出方响"一则有较详考辨。⑪歌板色：歌手角色名，即是按照板眼的节奏唱歌的角色。⑫中腔：中度音高的歌者，相当于当代所说的"男中音"。⑬三台舞旋：即按照三台舞曲的旋律起舞。三台舞曲的来历诸说不一。高承《事物纪原》卷二云："三台，三十拍曲名也。刘公《嘉话录》曰：三台送酒，盖因北齐文宣毁铜雀台，别筑二个台，宫人拍手呼上台，因以送酒。李氏《资暇》曰：昔邺中有三台，石季龙游宴之所，乐工造此曲促饮也。又一说，蔡邕自御史累迁尚书，三日之间历三台，乐府以邕晓音律，制此曲以悦之。未知孰是。"⑭破撷："破"、"撷"与下文的"歇拍"都是古代宫廷大曲的术语，即大曲演奏过程中的各个步骤。宋王灼《碧鸡漫志》卷三云："凡大曲有散序、靸、排遍、撷、正撷、入破、虚催、实催、衮遍、歇拍、杀衮，始成一曲，此谓大遍。"⑮呈拽：即安排。见卷之六"元宵"一节注⑥。⑯柱窠：石墩子上凿出的隼眼，以便竖立柱子时把柱子下头嵌在里边，称为柱窠。⑰谭子："谭"字应是"诨"字之误。吴自牧《梦粱录》卷三"宰执亲王南班百官入内上寿赐宴"一节云："教乐所伶人，以龙笛腰鼓发诨子。"可参照。⑱致语口号：致语，见卷之七"驾幸临水殿观争标锡宴"注④。口号，宋代宫廷举行盛典宴会时，乐人念诵的颂诗，简明而短，内容主要是歌功颂德。《宋史·乐志》十七"教坊"有记述。周密《武林旧事》卷一"圣节"亦记有乐人进念致语口号的详细情节。⑲上领四契：指儿童们穿的演出服装的特征。上领，是指布衫有另外缝上的衣领。契，中华书局出版的邓之诚注本谓即是"楔"，又作"衩"，四契为四开衩之衣。这样的解释似有不妥。实际上"契"在这里取契合之义，即是衣服开襟处的连接扣或系带，四契即是四扣或四系

带。⑳殿子：即垫子。"殿"是"垫"的通假字。㉑筑球：古代的一种击球游戏，兼有竞技与表演的性质，又是一项体育或娱乐活动。进行的方式是用杖击或用脚踢球，这和当代的曲棍球、足球及手球比赛略有相似之处。筑球初见兴起于唐代，唐无名氏《卢氏杂说》记云："僖宗在藩邸，好筑球，有炼腿之语。"（见曾慥《类说》卷四十九）据此文可知，唐末时的筑球是用脚踢。南唐尉迟偓《中朝故事》云："（段）安节少年，因冷节与侪类数人筑气球，落于此宅中。"据此文知，五代时的筑球用的是气球。北宋时的筑球又有新变化。《宋史·礼志七四》云："打球本军中戏，太宗令有司详定其仪。三月会鞠大明殿，有司除地竖木，东西为球门，高丈余，首刻金龙，下施石莲华座，加以采缋。左右分朋主之，以承旨二人守门。卫士二人持小红旗唱筹。……帝乘马出，教坊大合《凉州曲》。……又有步击者，乘驴骡击者，时令供奉者朋戏以为乐云。"又《宋史·仪卫六》记云："球杖金涂银裹，以供奉官骑执之，分左右前导。"据此文可知，北宋时筑球建立了完整的比赛规则，场上有球门，有裁判，宋太宗也曾亲自下场筑球，筑球可以步行奔跑着进行，也可以是骑着马或骑着驴、骡进行，并使用球杖。本书卷之六"元宵"一节中说"苏十、孟宣，筑球"，苏十即是本节的苏述。㉒球门：筑球场上东、西各设一门，有人守卫，对方击球入门为一胜，一胜则得一筹。两方争击，先得三筹者为胜家。陈元靓《事林广记》戊集二记有球门，并绘有图形。㉓断送：古代口语中有"打发"、"使派"的意思，如《永乐大典》中保存的《张协状元》戏文中说："我去讨米和酒并豆腐，断送你去。"这里是指筑球时首先由哨笛和杖鼓发令宣布开始。㉔大䬹（qiǎn）：筑球场上术语，具体含义未详，当是一种击球的技巧。㉕抹抢：词义未详，或是失败一方的球员在头上或身上所加的标记。㉖两军：即前面"第三盏"一段中"所谓左右军，乃京师坊市两厢也"之意，亦非禁军之军。㉗省宴：即朝廷中书省、门下省、内侍省举行的宴会。三省的机构见本书卷之一"大内"一节。

[译文]

　　十二日，宰相、亲王、宗室、百官进入宫廷为皇上祝寿，举行盛大拜寿朝贺典礼（朝臣要手持笏板拜舞并山呼万岁）。音乐还没有奏响，在集英殿的山楼上有教坊司的乐人模仿百鸟的鸣叫，殿里殿外一下子变得安静而严肃，只听见半空中传来鸟的和鸣之声，就像鸾凤飞来聚会似的。百官以下向皇上谢恩落座已毕，宰相、禁从、亲王、宗室、观察使以上的官员，以及辽国、高丽、西夏三国的副大使坐在大殿上；朝廷六部及各寺、司的官员，各外国一般的使节与宾客，坐在大殿两侧的廊下；禁军军官以下的官员，排列在山楼的后面。都坐着蒙有红锦布面的木墩子，墩子的侧面钉有大盖铜钉。每个人的面前桌上分别排列一份由环饼、油饼、枣塔组成的看盘，其次罗列着一些水果。只有辽国的副使面前又多加一份猪羊鸡鹅兔带骨熟肉作为看盘，都用小绳子系着。又有生葱韭蒜醋各一碟，还有三五人共用的面汤一桶，桶边立着饭勺几把。教坊色长两名，站在大殿前的栏杆旁边，都身着宽大的紫色长袍，腰系金带义襴，负责看盏斟御酒。所谓"看盏"，就是举起长袖高声唱令道"绥御酒"，令声刚一落音，他的两只袖子拂在栏杆边上停了下来。下面一轮是宰臣酒，就唱令道"绥酒"，袖子的舞动和前次一样。教坊司的乐部排列于山楼下边的彩棚里，乐手们都头裹长脚子幞头，按照皇家乐队的着装要求身穿紫、红、绿三种颜色的宽大长衫，腰间是黄义襴，镀金凹面的腰带，在面前排列着拍板，十串排成一行。下一排是清一色的画面琵琶，共五十把。再下一排是箜篌两台，箜篌高三尺左右，形状就像半边木梳，黑漆镂花描金彩绘，下面有台座，每台箜篌二十五根弦，一人跪地用两只手交互弹弄它。再下一排是高架大鼓两面，鼓身彩绘花底金龙，击鼓人两个宽大的袖子反系在背上，胳膊上另外套着黄色的窄袖，手里拿着两根垂着丝穗、镶裹着金箔的鼓槌子，两手高举着互击鼓面，动作之快如流星一般。后面又有羯鼓两座，就像平时常见的外番鼓那样，放在一张小桌子上，击鼓者的两只手都拿着鼓槌子击打，杖鼓的声音和它呼应。再后一排是金属的和石制的方响，镶金彩绘的架子，两边悬着流苏。再后排罗列的是箫、笙、埙、篪、觱篥、龙笛等乐器。两旁对称罗列着杖鼓二百面，击鼓者都头戴长脚子幞头、紫绣抹额，背上系着紫色宽衫，两臂是黄色的窄袖，腰间系着黄色义襕。演杂剧的各个角色都是艺人打扮，各自穿着本角色的紫、红、绿三种颜色的宽衫，腰系义襕，镀金腰带，从殿外边的台阶处相对站立，一直排到乐棚那边。每逢有跳舞的艺人入场时，这些杂剧艺人就两手叉腰，耸动着左右肩膀，两脚快速地动作应和着音乐的节拍，一同整齐地舞起来，这叫做"按曲子"（"按"字的读音是"仍"与"回"二字反切）。

第一轮酒，皇上饮酒时，歌板色一名出场，唱中音歌曲一遍。完了之后，先用笙和箫或笛子各一种相伴和，又唱一遍，各种乐器一齐奏响，但却只能听到歌唱者的声音。宰臣饮酒时，乐部音乐再起，干了此杯。百官饮酒时，三台舞开始起舞，跳舞者一般情况下是雷中庆出场。其他的舞蹈艺人，都是普通艺人打扮，身穿宽大长衫，只有中庆一人有官职，所以他的服装特殊一些。舞曲演奏到"入破"、"正㩧"之前的"排遍"时，舞者入场，演奏到"歇拍"时，接着又补充一名舞者入场，对舞几个拍节之后，前面的舞者退场，只留下后上场的那一位舞者跳到曲终，这叫做"舞末"。

第二轮酒，皇上饮酒时，歌板色一名出场，唱歌和前次一样。宰臣饮酒时，演奏的是慢曲子。百官饮酒时，三台舞起舞和前次一样。

第三轮酒，左右军表演百戏的艺人入场，一时安排停当。所谓左右军，指的是京城里大街的两边，并不是禁军的左右军。百戏表演有上竿、跳索、倒立、折腰、弄碗注、踢瓶、跟斗、擎戴之类，而不用狮子、豹子和举大旗的神仙鬼怪等。百戏艺人有男有女，都是头裹红巾、身穿花衣。大殿前面本来设置的有石座柱子基孔，百戏艺人一进场，很快地就在那些基孔上竖立起供表演的高竿。每逢御宴进行到第三轮酒的时候，才有下酒肉菜，如咸豉爆肉、双下驼峰角子等。

第四轮酒，和上一轮的仪式一样。舞蹈完了之后，艺人作滑稽娱乐表演。参军色手拿竹竿拂子，念诵解说词和祝颂词。各杂剧角色作配合性表演，再念一段颂词，指挥音乐起奏并进行大曲舞。这一轮上的下酒菜是榼炙子骨头、索粉、白肉胡饼。

第五轮酒，皇上饮酒时，音乐是琵琶独奏。宰臣饮酒时，音乐是方响独奏。凡是独奏乐，演奏的艺人要先行谢恩礼，完了才能上殿演奏乐器。百官饮酒时，乐部奏乐并表演三台舞，仪式同前。完了之后，参军色手持竹竿子上场念解说词，指挥音乐起奏并进儿童队舞。这些儿童是经过挑选的年龄为十二三岁的，共有二百多人，排列为四行，每行指定领队一名，由四个儿童簇拥着，并且每人头戴小隐士帽，身穿红、绿、紫、青四种颜色的花布衫，上领四扣，腰间围着义襕束带，各自手执花枝排列整齐。先有四个头裹卷脚幞头、身穿紫衫的儿童，举着一块彩色的垫子，上面是贴着金字的牌子，随着擂鼓的节奏向前行进，这叫做"队名牌"，牌子上有一副对联，写的是"九韶翔彩凤，八佾舞青鸾"之类的句子。乐部奏乐声起，孩子们跳着舞步向前行进，一直靠近到皇上座位的台阶下面。参军色致词并发问，儿童表演队的总队长便走到前面，朗诵祝颂词。杂剧艺人在旁边配合着呼叫，制造气氛，完了之后音乐再起，孩子们一起跳舞并合唱，而且是边舞边唱。又唱一段大曲中的《破子》，完了之后，儿童表演队的总队长再走到前面，朗诵颂词，指挥杂剧艺人进场，一场表演两段。这时，教坊司的杂剧角色鳖膨、刘乔、侯伯朝、孟景初、王颜喜等人，都是使副级别的身份。在皇上面前表演杂戏，因为有外国使臣参加宴会，艺人不敢过分地做滑稽搞笑的动作，只是集体表演适可而止，这在世俗百姓中的说法叫做"拽串"。杂戏表演结束之后，参军色再上前致词，让儿童表演队退场。接下去是集体舞《应天长》一曲，之后就退场了。这一轮的下酒菜有群仙炙、天花饼、太平毕罗、干饭、缕肉羹、莲花肉饼。皇上起身到旁边休息，酒宴暂停，百官退到大殿门外的帷幕旁边候着。不一会儿再按照次序进场，各自落座。

　　第六轮酒，皇上饮酒时，音乐是用笙吹奏的慢曲子。宰臣饮酒时，音乐也是慢曲子。百官饮酒时，三台舞起舞。接下去是左右军进行筑球比赛。大殿前面很快竖立起球门架子，高大约三丈左右，杂色彩带结络装饰，留出球门宽一尺左右。左军球队长是苏述，头戴长脚子幞头，身穿红色锦袄，其余的球员都是头戴卷脚幞头，也穿红锦袄，每队十多人。右军球队长是孟宣，也是十多人，都穿青色锦衣。乐部吹响哨笛，杖鼓擂动，宣布筑球开始。左军先把球发出传给众球员，小击数次之后，有两人在离队长不远的地方击球几次，等到看准的时候，就把球传给队长，队长"打大肷"把球打过球门。右军该发球也传给本队球员，小击几次之后，在离本队长不远的地方也和刚才那次一样把球传给队长，队长同样"打大肷"打过。若有得机会再次打过球门者为胜。获胜的一方被赐给银碗和锦彩，这一方的队员就拜舞谢恩，用赐给的锦彩一同披在身上进行拜谢。没有获胜的一方，队长挨一鞭以示惩罚，还在身上加上标记。这一轮的下酒菜是假鼋鱼、蜜浮酥捺花。

　　第七轮酒，皇上饮酒时，音乐演奏慢曲子。宰臣饮酒时，也都是慢曲子。百官饮酒时，三台舞起舞。完了之后，参军色致词，指挥女童舞队入场。舞队的小女孩都是经过挑选的街市居民中年龄幼小且美艳超众者，共有四百多人。有的头戴花冠，有的梳个仙人髻，身上穿的是黑红两色服装；有的头戴卷曲花脚子幞头，身穿四道扣的红黄杂色销金锦绣服装。打扮虽然不一致，但无不是当时的新潮装束，各尽其妙。作为"杖子头"角色的有四人，都是头裹曲脚子向后指天的幞头，头上簪花，身穿红黄两色宽袖布衫，腰围义襕，手里拿着银裹头的木杖。其中有一些是当时京城里的著名角色,如陈奴哥、俎姐哥、李伴奴、双奴等,其余的不值得一一提起。这些名角也是每名由四个女童簇拥着,大都打扮成仙童模样,头梳丫髻,身穿仙装,手里执花,跳着舞步向前行进排成队列。舞队或者跳起《采莲》舞,这时大殿前面都排列着莲花。前排和第五轮酒的男童表演一样也显示队名牌。参军色致词之后向持牌女童发问,四个"杖子头"角色就走上前唱念祝颂词,而且是边舞边唱。乐部发令表演完《采莲》舞之后,一曲完毕又再次跳起集体舞,唱一段女中音的歌曲。之后,一名女童上前致词,宣布让表演杂戏的艺人入场,也是一场表演两段。完了是参军色致词,让女童舞队退场。又合唱一支曲子,女童舞队跳着舞步出场。同刚才第五轮酒的男童表演相比,女童表演的内容增多了。这一轮的下酒菜是排炊羊、胡饼、炙金肠。

第八轮酒,皇上饮酒时,有歌板色一名上场唱《踏歌》。宰臣饮酒时,音乐是慢曲子。百官饮酒时,三台舞起舞,以及踏着"曲破"节拍的舞旋。这一轮的下酒菜是假沙鱼、独下馒头、肚羹。

第九轮酒,皇上饮酒时,音乐是慢曲子。宰臣饮酒时,音乐是慢曲子。百官饮酒时,三台舞起舞。伴奏的乐曲同前。这时有禁军的武士进行相扑表演。这一轮的下酒菜是水饭、簇钉下饭。此后,皇上起驾。

御宴上的酒杯,都是曲线杯,就像菜碗的形状那样,而且有手把子。大殿上各个座位用的都是纯金酒杯,廊下各个座位用的都是纯银酒杯。吃饭的餐具,都是带金银錂而且是上漆的碗碟。宴席结束之后,臣僚们都头戴着皇上赐给的簪花回到自己的私宅,跟班侍候的随从们也都头戴簪花并且由官方给他们一定的报酬。参加表演的女子舞队从右掖门走出皇宫,京城里那些年轻的纨绔子弟们,争着拿出自己心爱的宝物送给她们,还准备有食品、饮料、美酒、水果等来迎接她们。这些女孩子们各自骑着骏马回归住处,有的戴着花冠,有的扮作男装,从御街上奔驰而过,竞相展示她们的美貌和艳丽,街边观看的人像堵墙一般。有时中书省、门下省、内侍省举的宴会,也是同样的热闹和气派。

## 立 冬

是月立冬。前五日,西御园进冬菜。京师地寒,冬月无蔬菜,上至宫禁,下及民间,一时收藏,以充一冬食用。于是车载马驮,充塞道路。时物,姜豉、剥子、红丝、末脏、鹅梨、榅桲、蛤蜊、螃蟹。

[译文]

这个月立冬。此前的五天,西御园运进来冬菜。京城地区较为寒冷,冬天不能生产蔬菜,因此上到宫廷,下到民间,这时都要收藏一些,用来供一冬天的食用。于是运送蔬菜的车载马驮,挤满了道路。当时要准备的菜品与水果,有姜豉、剥子、红丝、末脏、鹅梨、榅桲、蛤蜊、螃蟹等。

# 卷之十

## 冬 至

十一月冬至①。京师最重此节,虽至贫者,一年之间,积累假借,至此日更易新衣,备办饮食,享祀先祖,官放关扑,庆贺往来,一如年节。

[注释]

①冬至:二十四节气之一。古代习俗非常看重这个节气,认为它的重要性仅次于过年。陈元靓《岁时广记》卷三十八引《岁时杂记》云:"冬至既号亚岁,俗人遂以冬至前之夜为冬除,大率多仿岁除故事而差略焉。"

[译文]

十一月份有冬至。京城里的人们最看重这个节气,即使是非常贫穷的人家,一年当中也要用家中尽可能有的积累或者向别人告借,到这一天来添换新衣,备办饮食,祭祀先祖,官府要开放集市的关扑场所,庆贺宾客往来,一切都和过年一样。

## 大礼预教车象

遇大礼年①,预于两月前教车象。自宣德门至南薰门外,往来一遭,车五乘,以代五辂②。轻重每车上置旗二口,鼓一面,驾以四马。挟车卫士,皆紫衫帽子。车前数人击鞭。象七头,前列朱旗数十面,铜锣鼛鼓十数面。先击锣二下,鼓急应三下。执旗人紫衫、帽子。每一象则一人裹交脚幞头紫衫人跨其颈,手执短柄铜镢,尖其刃,象有不驯,击之。象至宣德楼前,团转行步数遭成列,使之面北而拜,亦能唱喏。诸戚里、宗室、贵族之家,勾呼就私第观看,赠之银彩无虚日。御街游人嬉集,观者如织。卖扑③土木粉捏小象儿,并纸画,看人携归,以为献遗。

[注释]

①大礼年:大礼即盛大的礼仪,一般是指皇宫有大婚、添子、新改年号等较大喜事的年份。这里是指在有大礼的年份中举行大礼的庆贺活动。②五辂:古代帝王使用的五种车子。《资治通鉴》卷一三七南齐永明九年(491年)五月记云:"魏初造五辂。"后有注云:"五辂,玉、金、象、革、木也。"又卷一七四南朝陈太建十二年(580年)二月记云:"又以五辂载妇人,自帅左右步从。"后注云:"五辂,谓玄辂、夏篆、夏缦、墨车、戟车也。"③卖扑:买卖及关扑。关扑,见卷六"正月"一节注①。

[译文]

每逢某年有大礼仪的时候,预先在两个月之前就准备好车辆和驯象。从宣德门到南薰门外,往来走一趟,车备五乘,用来代替五辂。轻车和重车每辆车上都要置备两面旗、一面鼓,用四匹马驾车。车两边护卫的武士,都是身穿紫衫,头戴帽子。车前面有几个人击鞭,赶着大象七头。前面排列着红旗几十面,铜锣和鼛鼓十几个。首先敲锣两下，鼙鼓立即回应三下。举旗的人穿紫衫、戴帽子。每一头大象用一名头裹交脚子蹼头、身穿紫衫的人骑在它的脖子上，手里拿着一个短把子的铜镢子，镢子有磨尖的刃，大象若不听话，就用这镢子打它。大象行进到宣德楼前面，原地行走几圈就排成行列，驯象的人让大象面朝北方行拜礼，大象也像人那样唱喏。朝中各位皇亲国戚、宗室亲王及达官显贵之家，就互相招呼着到府中去看，赠送银子和彩帛之类礼品的每天都有。御街上的游人喧闹着聚集成团，围观的人络绎不绝。做买卖的和从事关扑生意的都出售各种泥塑的、木雕的、面捏的小象儿，还有用纸画的象，街上看象的人就买了带回家去，作为送人的小礼物。

## 车驾宿大庆殿

　　冬至前三日，驾宿大庆殿①。殿庭广阔，可容数万人。尽列法驾②、仪仗于庭，不能周遍。有两楼对峙，谓之"钟鼓楼"。上有太史局生测验刻漏③，每时刻④作鸡唱，鸣鼓一下，则一服绿者执牙牌而奏之，每刻曰"某时几棒鼓"，一时则曰"某时正"。宰执百官皆服法服⑤，其头冠各有品从。宰执亲王加貂蝉笼巾九梁⑥，从官七梁，馀六梁至二梁有差，台谏增鹰角⑦也。所谓"梁"者，谓冠前额梁上排金铜叶也。皆绛袍皂缘，方心曲领，中单环佩，云头履鞋，随官品执笏。馀执事人，皆介帻⑧绯袍，亦有等差。惟阁门⑨御史台加方心曲领尔。入殿祗应人给黄方号，馀黄长号、绯方长号，各有所至去处。仪仗车辂，谓信幡、龙旗、相风乌⑩、指南车、木辂、象辂、革辂、金辂、玉辂⑪之类，自有《三礼图》⑫可见，更不缕缕。排列殿门内外，及御街远近禁卫，全装铁骑，数万围绕大内。是夜内殿仪卫之外，又有裹锦缘小帽、锦络缝宽衫兵士，各执银裹头黑漆杖子，谓之"喝探兵士"。十馀人作一队，聚首而立，凡数十队。各一名喝曰："是与不是？"众曰："是。"又曰："是甚人？"众曰："殿前都指挥使高俅。"更互喝叫不停，或如鸡叫。又置警场于宣德门外，谓之"武严兵士"。画鼓二百面，角称之，其角皆以彩帛如小旗脚装结其上。兵士皆小帽，黄绣抹额，黄绣宽衫，青窄衬衫。日晡⑬时、三更时，各奏严也。每奏先鸣角，角罢，一军校执一长软藤条，上系朱拂子，擂鼓者观拂子，随其高低，以鼓声应其高下也。

[注释]

①大庆殿：皇宫中的正殿。见卷之六"元旦朝会"一节注①。②法驾：皇帝的车驾。《史记·吕后纪》："乃奉天子法驾，迎代王于邸。""集解"引蔡邕语云："天子有大驾、小驾、法驾。法驾上所乘，曰金根车，驾六马。"③刻漏：古代计时的器具。用铜制作大壶，壶底穿孔，壶中储水并竖一支刻有度数的箭形浮标。壶中的水从底孔漏出而逐渐减少，箭上的刻度就依次显露，这样就可以知道时辰。皇宫中设置刻漏，有太史局的专职人员观测记录并报时。④时刻：古代的计时单位。一天当中有十二时，分别为子、丑、寅、卯、辰、巳、午、未、申、酉、戌、亥。而一天当中有一百刻。按照节令，一年中不同的季节昼夜的刻数不同。冬至日昼四十五刻，夜五十五刻；夏至日昼六十五刻，夜三十五刻；春分与秋分日昼五十五刻半，夜四十四刻半。这样的规定沿用到清代，清初即开始使用西方传来的时钟，以一天为二十四小时，每小时为四刻，即十五分钟为一刻，直到现在。至于开始使用时钟的年代，未见有详细的考证。今知明清之际朱素臣所撰传奇《未央天》中，第十八出"法场"写一位市民百姓上场时说："我家书房里，挂着个自鸣钟，直报到午牌时分了。"这个作品大约写作于清初，可知这时普通民众家庭中已有了自鸣钟这样的先进报时工具了。⑤法服：古代礼法规定的官员的标准服。《孝经·卿大夫》云："非先王之法服不敢服。"注云："先王制五服，各有等差，言卿大夫遵守礼

法，不敢僭上逼下。"⑥貂蝉笼巾九梁："貂蝉"，古代王公官冠上的饰物，始于汉代。《后汉书·舆服志》云："武冠，一曰武弁大冠，诸武官冠之。侍中、中常侍加黄金珰，附蝉为文，貂尾为饰，谓之'赵惠文冠'。"此冠在唐宋时皆通行，因此也常用"貂蝉"一词称谓达官显贵。"笼巾"，即貂蝉冠在北宋时的名称。《宋史·舆服志四》云："貂蝉冠一名笼巾，织藤漆之，形正方，如平巾帻。饰以银，前有银花，上缀玳瑁蝉，左右为三小蝉，衔玉鼻，左插貂尾。三公、亲王侍祠大朝会，则加于进贤冠而服之。""九梁"，北宋时王公大臣的官冠上又加梁来表示官阶品级，从二梁到九梁不等。参见卷之六"元旦朝会"一节注②。⑦廌（zhì）角："廌"即"豸"的本字。豸即獬豸，豸角，代指豸冠，又称獬豸冠，古代朝廷执法的大臣头戴此冠。《后汉书·舆服志》云："法冠，一曰柱后……或谓之獬豸冠。獬豸神羊，能别曲直，楚王尝获之，故以为冠。"⑧介帻：一种长耳的裹发巾，流行于汉魏，后来称为进贤冠。这里用"介帻"一词是沿用古代的说法。⑨阁门：即内宫官名，唐时称阁门使。高承《事物纪原》卷六云："《唐会要》：昭宗天祐元年四月敕有阁门使。《五代会要》：梁诸使亦有东西二上阁门使，疑亦唐官也。"⑩相风乌：原本作"相风鸟"，实应作"乌"。相风乌是古代宫廷中皇帝乘坐的一种车，车上装有长竿，竿上有乌鸦形状的风向仪。《宋史·舆服志一》记云："相风乌舆上载长竿，竿杪刻木为乌，垂鹅毛筒红绶带，下承以小盘，周绯裙绣乌形。"⑪木辂、象辂、革辂、金辂、玉辂：合为五辂，见上节"大礼预教车象"注②。⑫《三礼图》：书名，原为东汉郑玄、晋阮谌、唐张镒等人所撰，皆名为《三礼图》，共六种，都已失传。现存世的有北宋初太常博士聂崇义所撰作的《三礼图》二十卷，这是聂氏在五代后周时奉诏参照前朝的几种《三礼图》重新编写的，北宋时沈括《梦溪笔谈》和欧阳修《集古录》等书都认为它多与"三礼"的注解不合。《文献通考》卷一八一"经籍考八"云："《三礼图》二十卷。晁氏曰：聂崇义周世宗时被旨纂集，以郑康成、阮谌等六家图刊定，皇朝建隆二年奏之。赐紫绶犀带，奖其志学。窦仪为之序。"⑬日晡（bū）：即申时，相当于现在的下午3点到5点。

[译文]

冬至前三天，皇上圣驾在大庆殿停宿。殿中的厅堂广大而宽敞，可以容纳几万人。皇帝的车驾和各种仪仗都摆放在大厅中，这里不能一一记述。大殿外面有东西两楼对峙，叫做"钟鼓楼"。楼上有太史局的年轻官员每天观察记录刻漏。每一时当中的每一刻都要像鸡鸣那样击鼓一下，这时就有一位身穿绿色衣服的人手执象牙牌大声奏报时间，每一刻就说"某时几棒鼓"，如果正好是整时就奏报说"某时正"。宰相和百官都身穿标准官服，他们头上所戴的帽子各表示一定的级别。宰相和亲王戴貂蝉冠加九梁，从官为七梁，其余各官为六梁至二梁不等，台谏官就要戴獬豸冠了。所谓的"梁"，是指帽子前额横梁上再安排有或金或铜的叶片。朝官都身穿绛色官袍镶有黑边，胸前有方形图案，圆领，腰间有单环的玉佩，脚蹬云头朝靴。根据官职级别的不同而手执不同的朝笏。其余各职能部门的工作人员都是裹头巾穿红袍，也显示出不同的级别。只有内官阁门使和御史台的官员才能穿胸前有方形图案并为圆领的朝服。进入大庆殿中侍候的人员每人给一个黄色方形的号牌，其余在殿外侍候的人员都给黄色长条号牌或红色长方形号牌，牌上标明能够到达的位置。皇上的仪仗和车驾，其名称有信幡、龙旗、相风乌、指南车、木辂、象辂、革辂、金辂、玉辂等，这些仪仗车驾的规制和形式在《三礼图》这部书中都有详细的解说，这里就不一一记述了。排列在大庆殿门里门外及御街上远近各处的禁军兵士，都是全副武装骑铁甲马，数万人围绕着皇宫。这天夜里除了大庆殿的卫兵之外，还有头戴锦边小帽、身穿锦络缝宽衫的兵士，每人手里拿着一根银裹头黑漆的木棍，这叫做"喝探兵士"。他们十多人作为一队，挨肩站立，共有几十队。每队有一名队长喊口令问道："是与不是？"众兵士回答道："是。"又问："是什么人？"众兵士又答："殿前都指挥使高俅。"这样互相喊叫不停，或者模仿鸡叫声。另外还在宣德门外布置警戒地段，这叫做"武严兵士"。他们带着画鼓二百面，还有号角配合着。这种号角都是用彩帛制作如小角旗样式装饰在上面，兵士都是头戴小帽，黄绣巾裹头，身穿黄绣宽衫，里穿青窄衬衫。申时和三更时，各吹奏一阵表示戒严。每次吹奏先吹号角，号角响罢，一名军校手执一根长而弹软的藤条，上面系着一团红缨子，击鼓者望着红缨子，随着它的高低顿挫，用鼓声进行呼应，整齐而有节奏。

## 驾行仪卫

次日五更，摄大宗伯①执牌奏"中严外办"②。铁骑前导番衮③，自三更时，相续而行。象七头，各以文锦被其身，金莲花座安其背，金辔笼络其脑，锦衣人跨其颈。次第高旗大扇，画戟长矛，五色介胄。跨马之士，或小帽锦绣抹额者，或黑漆圆顶幞头者，或以皮如兜鍪④者，或漆皮如戽斗⑤而笼巾者，或衣红黄罨画⑥锦绣之服者，或衣纯青纯皂以至鞋裤皆青黑者，或裹交脚幞头者，或以锦为绳如蛇而绕系其身者，或数十人唱引持大旗而过者，或执大斧者、胯剑⑦者、执锐牌者、持镫棒者，或持竿上悬豹尾者，或持短杵者。其矛戟皆缀五色结带铜铎，其旗扇皆画以龙，或虎，或云彩，或山河。又有旗高五丈，谓之"次黄龙"。驾诣太庙青城⑧，并先到立斋宫⑨前，叉竿舍索旗⑩坐，约百馀人。或有交脚幞头、胯剑、足靴如四直使者⑪千百数，不可名状。馀诸司祗应人，皆锦袄。诸班直、亲从、亲事官，皆帽子、结带、红锦，或红罗上紫团答戏狮子、短后打甲背子，执御从物。御龙直皆真珠结络短顶头巾、紫上杂色小花绣衫，金束带、看带、丝鞋。天武官⑫皆顶朱漆金装笠子、红上团花背子。三衙并带御器械官⑬，皆小帽、背子或紫绣战袍，跨马前导。千乘万骑，出宣德门，由景灵宫太庙⑭。

[注释]

①大宗伯：即礼部尚书。《周礼·春官》有"大宗伯"，掌邦国祭事典礼。其职权即同后来各朝的礼部之职，大宗伯即是礼部尚书，少宗伯即是礼部侍郎。②中严外办：皇帝离开皇宫外出活动时的一种礼仪规制，北宋时成为朝廷事务中所用的套语。意思是宫中要严加防护，并要随圣驾外出办事。③番衮：词义不详，疑有误字，或即是"番裏"。吴自牧《梦粱录》卷五"驾诣景灵宫仪仗"一节云"护卫角骑自四更时接续番里导行"，"里"为繁体的"裏"字，疑即是"裏"字。④兜鍪：古代武士的头盔，也叫"兜鞪"、"兜鍪"、"兜牟"。⑤戽斗：古代汲水灌田的工具，即水车上的水斗。这里是说武士的一种帽子形状像水斗。⑥罨画：杂色的彩画，也常用来指衣服的色彩特征。《唐会要》卷三十一"内外官章服·杂录"记云："其女人不得服黄紫为裙及银泥罨画锦绣等。"这里是指禁军士兵服装的杂色。⑦胯剑："胯"指大腿部位，胯剑意为将剑悬在胯处，即带剑或佩剑。⑧青城：北宋时皇帝祭祀天地时的斋宫所在地。有两处：一在南薰门外，为祭天斋宫，又称南青城。二在封丘门外，为祭地斋宫，又称北青城。⑨斋宫：封建时代皇帝祭祀天地时的临时住所，要在这里进行斋戒，故称斋宫。《国语·周语上》云："王即斋宫。"可知春秋时已有斋宫的设置。至北宋时仍沿袭古制，京城里建有斋宫两处，其地名为青城。直到清代，在北京的天坛和地坛中都建有斋宫。⑩叉竿舍索旗坐：意思是把所持的长枪、长竿原地架起来，把所带的绳索、旗帜等物放在地上，坐下来休息。⑪四直使者："四直"，即禁卫军的编制内殿直、散直、御龙左直、御龙右直之类。"使者"，即被派出执行公务的人。参见卷之四"军头司"一节。⑫天武官：禁卫军的军官名称。见卷之四"军头司"一节。⑬三衙并带御器械官：皇帝的近身侍卫和三衙的护卫。马端临《文献通考》卷五十八"职官考十二"记云："宋初尝选三班以上武干亲信者，佩橐鞬御剑，或以内臣为之。初是职止名御带，咸平元年，改为御带器械。"这里"带御器械官"应即是"御带器械"官。"三衙"，即枢密院、中书省、门下省，见卷之六"十四日车驾幸五岳观"一节注⑥。⑭由景灵宫太庙：疑"宫"后脱一"诣"字，应是"由景灵宫诣太庙"。

[译文]

第二天五更时，现任礼部尚书手执笏牌启奏说"中严外办"。禁军的铁骑在前引导，仪仗排开，从三更时开始就依次出发了。军士驱赶着大象七头，这些大象各用文锦搭在身上，金莲花的座位安放在它的背上，带有金饰的辔头笼络着它们的头，身穿锦衣的驯象师骑在它们的脖子上。跟在大象后面的是高举的大旗和大扇及画戟、长矛等各种兵器，身穿各种颜色盔甲的武士。跨在马上的武士，有的是头戴小帽身穿锦绣并有丝巾缠头，有的是头戴黑漆圆顶的幞头，有的是戴着皮革头盔，有的是戴着漆皮如犀角酒杯形状的武官帽，有的是穿着红、黄等杂色锦绣的服装，有的是穿着纯青纯黑甚至鞋和裤子都是青黑颜色的服装，有的是头裹交脚幞头，有的是用锦绳像蛇那样缠绕在身上，有的是几十个人一起喊叫着举着大旗而过，有的手执大斧，有的腰间带剑，有的拿着尖牌，有的拿着马镫和棍棒，有的手持长竿上面挂着豹尾，有的拿着短棒槌。那些长矛、大戟等兵器都系着五彩结带的铜铃铛，那些大旗和大扇上面都画着龙，或者是虎，或者是云彩，或者是山河等图案。又有一面大旗高约五丈，这叫做"次黄龙"。皇上的圣驾前往太庙青城，这些禁军兵士们都先期到达，排站在斋宫前，原地放下所带之物坐下休息，大约有一百多人。还有那些头戴交脚幞头、腰间带剑、脚蹬靴子像"四直"武士那样的，有成百上千人，难以细述他们的形象。其余各个部门的工作人员，都身穿锦袄。禁军各班直、皇帝的亲从、亲随官，都戴帽子、绾结带、穿红锦衣，或者是红罗衣服上绣有紫团答戏狮子，或者是身穿短后襟打甲背子，手里都拿着皇上随时需要的东西。御龙直的卫士们都是头戴珍珠结络的短顶头巾、身穿紫底上有杂色小花的绣衫、腰间束金色束带及条带、脚下蹬丝面布鞋。禁军的天武官都是头戴红漆镶金的毡笠、身穿红底上有团花的背子。三衙并带御器械官都是头戴小帽、身穿背子或紫色绣花战袍，骑着马在前面引导。千乘万骑出了宣德门，经

驾行仪卫　183

景灵宫前往太庙。

## 驾宿太庙奉神主出室

驾乘玉辂①,冠服如图画间星官②之服,头冠皆北珠装结,顶通天冠,又谓之"卷云冠",服绛袍,执元圭③。其玉辂顶皆镂金大莲叶攒簇,四柱栏槛镂玉盘花龙凤。驾以四马,后出旗。常辂上御座,惟近侍二人,一从官傍立,谓之"执绥",以备顾问。挟辂卫士,皆裹黑漆团顶无脚幞头,着黄生色宽衫,青窄衬衫,青裤,系以锦绳。辂后四人,擎行马④。前有朝服二人,执笏面辂倒行。是夜宿太庙,喝探警严如宿殿仪。至三更,车驾行事,执事皆宗室。宫架乐作。主上在殿上东南隅西面立,有一朱漆金字牌曰"皇帝位"。然后奉神主出室,亦奏"中严外办"⑤。逐室行礼毕,甲马、仪仗、车辂、番衮⑥出南薰门。

[注释]

①玉辂:皇帝的车驾"五辂"之一。参见本卷"大礼预教车象"一节注②。唐朝曾造玉辂,传至后世,北宋时又曾重新制造,但不如唐朝原造玉辂坚固。沈括《梦溪笔谈》卷十九云:"大驾玉辂唐高宗时造,至今进御。自唐至今凡三至太山登封,其他巡幸莫记其数,至今完壮。乘之安若山岳,以措杯水其上而不摇。庆历中,尝别造玉辂,极天下良工为之,乘之摇不安,竟废不用。元丰中复造一辂,尤极工巧,未经进御,方陈于大庭,车屋适坏,遂压而碎。只用唐辂。其稳利坚久,历世不能窥其法。"这里记述的徽宗所乘的玉辂,当是后来又重新制造的。②星官:即星神。宋郭若虚《图画见闻志》卷一"论妇人形相"云:"历观古名士画金童玉女及神仙星官,中有妇人形象者,貌虽端严,神必清古。"③元圭:即玄圭,黑色的玉,古代帝王举行典礼的时候所用的一种玉器。《尚书·禹贡》云:"禹赐玄圭,告厥成功。"后世帝

王沿袭古法亦用玄玉。④行马：用交叉木条制成、阻拦行人通行的木栅，古称樾柜。《周礼·天官·掌舍》云："设樾柜再重。"后有东汉郑玄注云："樾柜，谓行马。"行马常用来设置在宫殿或官府衙门前，作为隔离的路障，这里是由人用手举着，隔离行人和车驾。参见卷之一"大内"一节注④。⑤中严外办：见前节"驾行仪卫"注②。⑥番衮：见前节"驾行仪卫"注③。

[译文]

　　皇上圣驾乘坐玉辂，所戴皇冠和御服就像图画中常见的星官的服饰似的。皇冠都用北方产的珍珠镶嵌制作，顶上即通天冠，又叫做"卷云冠"，身穿绛色龙袍，手执玄圭。所乘玉辂的顶子上都是镂金的大莲叶丛聚在一起，四根柱子及栏槛上是玉雕的盘花龙凤。玉辂用四匹马驾车，车后面跟着旗队。通常情况下玉辂上的御座旁边，只有近侍两名，其中一名是侍从官在旁边站立，称为"执绥"，以备皇上顾问。在两边保护的卫士，都是头戴黑漆团顶无脚幞头，身穿黄色宽衫，里面是青窄衬衫，下身是青色裤，腰系锦绳。玉辂后边有四人，举着行马。玉辂前面，有身穿朝服的两个人，手执笏板面朝着玉辂倒退着行走。这天夜晚就住在太庙里，喝探与警戒的程序和圣驾宿大庆殿的规矩一样。到三更天时，皇上开始举行祭拜太庙的礼仪，在旁边服务的都是皇室宗亲。皇宫乐队开始奏乐，皇上在太庙正殿的东南角面向西站立，有一个红漆金字的牌子上写着"皇帝位"。然后奉请先皇神灵走出正殿，也有礼仪官启奏说"中严外办"。依次往每个先皇的神位前行拜礼，完了之后，甲马、仪仗、车辂及一行人等出南薰门。

## 驾诣青城斋宫

　　驾御玉辂，诣青城斋宫①。所谓"青城"，旧来止以青布幕为之，画砌甃之文，旋结城阙殿宇。宣、政间，悉用土木盖造矣。铁骑围斋宫外，诸军有紫巾绯衣素队约千馀，罗布郊野，每队军乐一火②。行宫巡检部领甲马来往巡逻，至夜严警喝探③如前。

[注释]

①青城斋宫：见本卷"驾行仪卫"一节注⑧⑨。②一火：是古代的兵制单位，十人为火。《木兰诗》云"出门见火伴，火伴皆惊忙"，所谓火伴即是在军中时同火的战友。③喝探：见本卷"车驾宿大庆殿"一节中关于"喝探兵士"的记述。

[译文]

皇上乘坐玉辂，前往青城斋宫。所谓的"青城"，以前本来只是用青布制作的帷幕，外面画上砖砌模样的条纹，后来改为搭建的城阙殿宇形式。到了宣和、政和年间，又都改为全用土木建造了。禁卫军除了用铁甲骑兵围绕着斋宫进行警戒之外，禁军的各部门还有头戴紫巾、身穿红衣及便衣的军士大约一千多人，分布在近郊野外，每一队禁军还带着一班十人组成的军乐队。行宫巡检部也率领着铁甲马队来往巡逻，到了夜晚，警戒与喝探的程序和前面的圣驾宿大庆殿、圣驾宿太庙的规矩一样。

## 驾诣郊坛行礼

三更，驾诣郊坛行礼。有三重壝墙①。驾出青城，南行曲尺西去约一里许，乃坛也。入外壝东门，至第二壝里，面南设一大幕次，谓之"大次"。更换祭服②，平天冠二十四旒③，青衮龙服，中单④，朱舄，纯玉佩。二中贵扶侍，行至坛前。坛下又有一小幕殿，谓之"小次"，内有御座。坛高三层，七十二级。坛面方圆三丈许，有四踏道。正南曰午阶，东曰卯阶，西曰酉阶，北曰子阶。坛上设二黄褥，位北面南曰"昊天上帝"⑤，东南面曰"太祖皇帝"。惟两矮案，上设礼料。有登歌⑥道士十馀人，列钟磬二架，馀歌色及琴瑟之类，三五执事人而已。坛前设宫架乐，前列编钟、玉磬。其架有如常乐，方响⑦增其高大。编钟形稍扁⑧，上下两层挂之，架两角缀以流苏。玉磬状如曲尺，系其曲尖处，亦架之，上下两层挂之。次列数架大鼓，或三或五，用木穿贯，立于架座上。又有大钟，曰景钟，曰节鼓。有琴而长者，如筝而大者，截竹如箫管两头存节而横吹者，有土烧成如圆弹而开窍者，如笙而大者，如箫而增其管者。有歌者，其声清亮，非郑、卫之比。宫架前立两竿，乐工皆裹介帻⑨如笼巾，绯宽衫，勒帛。二舞者，顶紫色冠，上有一横板，皂服，朱裙履。乐作，初则文舞，皆手执一紫囊，盛一笛管结带。武舞，一手执短稍⑩，一手执小牌，比文舞加数人，击铜铙响环，又击如铜灶突⑪者，又两人共携一铜瓮就地击者。舞者如击刺，如乘云，如分手，皆舞容矣。乐作，先击柷⑫，以木为之，如方壶，画山水之状，每奏乐，击之，内外共九下。乐止则击敔，如伏虎，脊上如锯齿，一曲终，以破竹刮之。礼直官奏请驾登坛，前导官皆躬身侧引至坛止，惟大礼使⑬登之。先正北一位拜，跪酒，殿中监东向一拜，进爵盏，再拜，兴。复诣正东一位。才登坛而宫架声止，则坛上乐作，降坛则宫架乐复作。武舞上，复归小次。亚献、终献⑭，上亦如前仪。当时燕越王⑮为亚终献也。第二次登坛，乐作如初。跪酒毕，中书舍人读册，左右两人举册而跪读。降坛，复归小次，亚终献如前。再登坛，进玉爵盏，皇帝饮福⑯矣。亚终献毕，降坛，驾小次前立，则坛上礼料币帛玉册，由酉阶而下。南墙门外，去坛百馀步，有燎炉，高丈许。诸物上台，一人点唱，入炉焚之。坛三层，回⑰踏道之间，有十二龛，祭十二宫神⑱，内壝外祭百星。执事与陪祠官皆面北立班。宫架乐罢，鼓吹未作，外内数十万众肃然，惟闻轻风环佩之声。一赞者喝曰："赞一拜！"皆拜。礼毕。

[注释]

①壝（wěi）墙：围在祭坛四周的矮土墙，也叫壝宫。《周礼·地官·封人》云："掌诏王之社壝。"又《周礼·天官·掌舍》云："为坛、壝宫、棘门。"周朝制度，天子祭祀时，白天吃饭休息，设帷宫；平地住宿，设壝宫；宿险地，设车宫；随时地而不同。后世历代帝王祭祀时沿用古法，祭坛四周也筑矮墙为壝宫。②祭服：祭祀时所穿的礼服。《礼记·曲礼下》云："无田禄者，不设祭器；有田禄者，先为祭服。"皇帝在祭祀时所穿的祭服与正规的朝服又有所不同。③旒：古代皇帝所戴冠冕前后垂的玉串，也称冕旒。王维《和贾至舍人早朝大明宫之作》诗有"九天阊阖开宫殿，万国衣冠拜冕旒"（见《全唐诗》卷一二八）之句。天子的冕为十二旒，这里所记为二十四旒，是祭服的规制。④中单：祭服、朝服的裹衣。古称中衣。自唐代以后，渐趋于简易，变通其制，腰无缝，下不分幅，故称中单。⑤昊天上帝："昊"或"昊天"即是"天"。如《诗经·小雅·巷伯》云"投畀有昊"、《诗经·小雅·蓼莪》云"昊天罔极"等。"昊天上帝"即天帝。⑥登歌：本意为升堂奏歌，指古代举行祭典及大朝会时乐师登堂而歌，而且其所奏的歌即名"登歌"。《周礼·春官·大师》云："大祭祀，帅瞽登歌，令奏击拊。"前人注解说："登歌，歌者在堂也。"⑦方响：古乐器名。见本书卷之九"宰执亲王宗室百官入内上寿"一节注⑩。⑧扁：原本作"褊"，应即是"扁"字。⑨介帻：见本卷"车驾宿大庆殿"一节注⑧。⑩矟：矛一类的兵器，同槊。《释名·释兵》云："矛长丈八尺曰矟，马上所持，言其矟，矟便杀也。"这里跳舞者所持的是短矟，只是形状如矟的道具。⑪灶突：即灶上的烟囱。这里是说像烟囱形状的铜制乐器。⑫柷（zhù）："柷"与"敔（yǔ）"俱是乐器名。乐开始时击柷，乐终止时刷敔。柷与敔都是非常古老的乐器，《尚书·益稷》篇云："下管鼗鼓，合止柷敔。""柷敔"，也写作"柷圄"。⑬大礼使：天子祭祀时主持礼仪的朝廷大臣，有大礼使、仪仗使、顿递使、礼仪使、卤簿使，共五使。

大礼使为最高最隆重的级别。宋费衮《梁溪漫志》卷一云:"本朝郊祀五使,沿唐及五代之制。大礼使用宰相,仪仗使用御史中丞,顿递使又增桥道之名用京尹,礼仪使及卤簿使则以学士及尚书为之。大中祥符中东封,五使皆命辅臣,以重非常之礼。"⑭亚献、终献:古代祭祀,第一次奠爵为初献,第二次奠爵为亚献,第三次奠爵为终献,合称为三献。《旧唐书·礼仪志三》云:"初献亚终,合于一处。"⑮燕越王:即宋神宗第十子燕王赵俣、第十二子越王赵偲。宋哲宗赵煦是宋神宗第六子,宋徽宗赵佶是宋神宗第十一子。⑯饮福:饮下福酒。福酒即古代祭祀时祭余之酒。《宋书·礼志一》云:"太祝令各酌福酒,合置一爵中,跪进皇帝,再拜伏。饮福酒讫,博士、太常引帝从东阶下,还南阶。"⑰回:疑是"四"字,因前文有"坛面方圆三丈许,有四踏道"。⑱十二宫神:古代音律有十二宫调,分别对应于一年中的十二个月,其主管之神即十二宫神。高承《事物纪原》卷二引《宋朝会要》曰:"开宝新定礼,所增大飨明堂记曰:'十二神舆,载十二月之神象。'"

[译文]

　　三更时,皇上圣驾前往郊坛行祭礼。祭坛四周有三重矮土墙。皇上圣驾出了青城,向南行进拐个直角弯再往西去大约一里多,就是祭坛了。进入外围墙的东门,到第二道矮土墙里边,面朝南设置有一个大帷幕,这叫做"大次"。皇上在这里更换祭服,头戴平天冠,冠冕上有二十四旒,身穿青衮龙服,外罩中衣,脚穿红鞋,带纯玉之佩。由两名太监搀扶着,走到祭坛前。祭坛下面又有一小帷幕围成的殿房,这叫做"小次",里面设有御座。坛高三层,七十二级台阶。祭坛的平面方圆三丈多,有四个登坛的阶梯踏道。正南的踏道名叫午阶,东边的叫卯阶,西边的叫酉阶,北边的叫子阶。祭坛上设置有两方黄褥,位北面南的一块是"昊天上帝"的灵位,东边面南的一块是"太祖皇帝"的灵位。只有两个较矮的桌案,上面摆放着祭礼用品。有唱登歌的道士十几人,排列着钟磬二架,其余有唱歌的角色及乐器琴瑟等,服务人员不过三五人而已。祭坛前还摆设着宫廷架乐,前面排列的是编钟和玉磬。宫廷架乐的木架和平常的乐架差不多，只是方响架子更加高大一些。编钟的形状稍扁，上下排列两层，挂在架子上，架子的两角缀着流苏。玉磬的形状就像曲尺，用绳子系在它的拐角的尖上，也用乐架，分上下两层挂着。其次还排列着几架大鼓，或三面或五面为一组，用木条连接起来，放在架座上。还有大钟，名叫景钟，又有大鼓名叫节鼓。还有乐器像琴而更长些的，像筝而更大些的，还有用截断的竹管像箫管似的但两头保存着竹节而横吹的，还有用泥土烧成如圆蛋模样而开孔的，还有像笙而更大一些的，像箫而多增加一管的。有歌手正在歌唱，他的声音清亮，不是那种郑、卫之音。官廷乐架前面竖着两根高竿，乐工都是头裹头巾像官帽似的，身穿红色宽衫，用帛束腰。两名舞蹈者，头戴紫色冠，上面有一块横板，穿黑色上衣，红色的裙子和鞋子。音乐奏响，开始跳的是文舞，两人的手中都拿着一个紫色的布囊，囊中装着笛管并有结带。接着是武舞，舞者一只手拿着短稍，一只手拿着小盾牌，比文舞又增加了几个人，伴奏乐器是敲击铜铙和响环，还敲击一种形状像是铜烟囱的乐器，还有两个人共同带一只铜瓮模样的乐器就地敲击的。舞者做出击刺的样子，如同乘云，又如同分手，都是舞蹈动作。音乐奏响，先击柷，柷是用硬木制成的，像个四方形的壶，上面画着山水图案，每次奏乐时就敲击它，内外共九下。乐曲终止时就击敔，敔的形状就像是一只蹲着的老虎，脊背有一条像锯齿似的东西，一曲终止时，演奏者用破竹片刮这锯齿一下。主持祭礼的官员启奏请圣驾登坛，前导官都躬着腰，侧身在一旁引导皇上到祭坛跟前为止，只有大礼使一人随皇上登上祭坛。皇上先向着正北边的"昊天上帝"的灵位拜，跪下敬酒，跟随的殿中监面朝东下拜，给皇上递送酒杯，皇上再拜一次，起立。再往东边的"太祖皇帝"的灵位拜祭。皇上登上祭坛时，官廷架乐的音乐声停止，而祭坛上的音乐奏响，皇上走下祭坛时官廷架乐又开始奏响。这时武舞表演上场，皇上回到小次中。方才皇上的拜祭为初献，而亚献和终献时拜祭的程序也和初献相同。当时燕王赵俣进行亚献的拜祭，越王赵偲进行终献的拜祭。第二次登坛时，音乐的演奏和第一次相同。跪下敬酒之后，由中书舍人读祭文，左右有两人捧举着祭文文本而由中书舍人跪着朗读。走下祭坛之后，又回到小次中，亚献和终献同前面的程序一样。再次登坛，有官进奉玉杯，皇上饮下杯中福酒。亚献与终献完了之后，燕王、越王走下祭坛，皇上在小次前面站立，这时祭坛上摆放的祭祀用品如冥币、纸帛、玉册等，从西边的酉阶送下来。在南矮墙门外距祭坛一百多步的地方，有一座燎炉，高约一丈左右，各种祭祀的物品送上高台，一个人依次拿起并高声报告，放到燎炉里面焚烧。祭坛高三层，四踏道之间，共有十二座神龛，祭祀的是十二宫神。在内矮墙之外祭祀的是众星神。服务人员和陪同祭祠的官员们都面向北按部就班地站着。宫廷架乐奏罢，鼓吹乐还没有响起的时候，里里外外参与祭祀大典的几十万人都肃然静立，只听见轻风吹动环佩叮当作响。一位掌礼官喊口令道："赞一拜！"于是所有的人一齐下拜。祭祀大典到此结束。

## 郊毕驾回

驾自小次祭服还大次，惟近侍橡烛①二百馀条，列成围子。至大次更服衮冕，登大安辇。辇如玉辂而大，无轮，四垂大带。辇官服色亦如挟路者。才升辇，教坊在外矮土东门排列，钧容直先奏乐。一甲士舞一曲破②讫，教坊进口号。乐作，诸军队伍鼓吹皆动，声震天地。回青城，天色未晓。百官常服入贺，赐茶酒毕，而法驾、仪仗、铁骑、鼓吹入南薰门。御路数十里之间，起居幕次，贵家看棚，华彩鳞砌，略无空闲去处。

[注释]

①椽烛：如椽之烛，形容蜡烛的粗大。②曲破：唐宋时的乐舞曲名词。大曲的第三段称为"破"，单独演奏这一段称为"曲破"。《宋史·乐志十七·教坊队舞》记云："太宗洞晓音律，前后亲制大小曲及因旧曲创新声者，总三百九十。凡制大曲十八……曲破二十九。"参见本书卷之九"宰执亲王宗室百官入内上寿"一节注⑭。

[译文]

皇上圣驾从小次身着祭服回到大次，只有近侍们手持着椽烛二百多根，排列成围子。到大次中更换为皇袍皇冠，登上大安辇。这大安辇形如玉辂而更大一些，没有车轮，四边悬垂着大带。陪辇官穿的服装，也和夹道秉烛的内侍一样。皇上升辇之后，教坊乐队在外矮土墙的东门外排列等候，军乐队先奏乐。一名身穿盔甲的武士舞了一段"曲破"，教坊司官上前念祝颂词。音乐奏响，禁军队伍所带的鼓吹乐队一起吹奏起来，声音震天动地。皇上圣驾回到青城的时候，天还没亮。百官身穿常服进殿中道贺，皇上赐茶赐酒，完了之后，皇上的法驾、仪仗以及禁军的铁骑、鼓乐队等一行人进入南薰门。圣驾经行的几十里当中，供皇上停留的帷幕及达官显贵之家的看棚，花团锦簇，鳞次栉比，几乎没有空闲的地方。

# 下赦

车驾登宣德楼①。楼前立大旗数口，内一口大者，与宣德楼齐，谓之"盖天旗"。旗立御路中心不动。次一口稍小，随驾立，谓之"次黄龙"。青城、太庙随逐立之，俗亦呼为"盖天旗"。亦设宫架乐作。须臾，击柝之声，旋立鸡竿，约高十数丈，竿尖有一大木盘，上有金鸡②，口衔红幡子，书"皇帝万岁"字。盘底有彩索四条垂下，有四红巾者，争先缘索而上，捷得金鸡红幡，则山呼谢恩讫。楼上以红绵索通门下一彩楼，上有金凤衔赦而下，至彩楼上，而通事舍人得赦宣读。开封府大理寺排列罪人在楼前，罪人皆绯缝黄布衫，狱吏皆簪花鲜洁，闻鼓声，疏枷放去。各山呼谢恩讫。楼下钧容直乐作，杂剧舞旋，御龙直装神鬼，斫真刀倬刀③。楼上百官赐茶酒，诸班直呈拽④马队，六军归营。至日晡时，礼毕。

[注释]

①车驾登宣德楼：本节所记宣布大赦的仪式，在北宋时是一种传统的做法，皇帝亲自登上宣德楼，以示皇恩。江休复《江邻几杂志》云："肆赦宣德门，登降用乐悬，又排仗尽如外朝之仪。"②金鸡：古代举行颁诏宣赦仪式，设置金鸡于竿头，以示吉辰。鸡用黄金饰首，故称金鸡。这种仪式或认为始于北魏时。唐代封演《封氏闻见记》卷四"金鸡"一则云："按金鸡，魏晋已前无闻焉。或云始自后魏，亦云起自吕光。……（北齐）武成帝即位，大赦天下，其日设金鸡。宋孝王不识其义，问于光禄大夫司马膺之曰：'敕建金鸡，其义何也？'答曰：'按《海中星占》，天鸡星动，必当有赦。由是王以鸡为候。'"李白《流夜郎赠辛判官》诗云："我愁远谪夜郎云，何日金鸡放赦回。"（《李太白诗》卷十一）《水浒传》第七十二回"柴进簪花入禁苑，李逵元夜闹东京"，写宋江会见李师师所写《念奴娇》词一首，中有句为"六六雁行连八九，只等金鸡消息"，表达他等候朝廷招安的心情。明清之际朱素臣的传奇作品《翡翠园》第十三出有唱词云："盼不到，盼不到，金鸡衔赦。"可见在历代文学作品中，金鸡已成为皇帝进行大赦的典故。③倬刀：即掉刀。卷之五"京瓦伎艺"有"杂剧、掉刀、蛮牌"，可参照。④呈拽：即安排。见卷之六"元宵"一节注⑥。

[译文]

皇上圣驾登上宣德楼，楼前竖立着大旗好几面。其中有一面最大的旗，和宣德楼一样高，叫做"盖天旗"。这面旗立在御路中心位置不动。第二面旗稍小一些，随着皇上的位置而竖立，叫做"次黄龙"。青城、太庙那边举行有关仪式时，随着皇上所到之处而竖立的大旗，世俗也呼为"盖天旗"。也设置有宫廷乐架并奏响音乐。不一会儿，又响起击柝之声，很快便竖立起鸡竿，此竿约高十几丈，竿尖上有一个大木盘，盘上有一只金鸡，鸡口衔着一条红幡子，上面写着"皇帝万岁"四个大字。盘子底部有彩带四条垂下来，有四个头裹红巾的人，争先攀着彩带而上，最先得到上面的金鸡和红幡者，就高呼谢恩。完了之后，宣德楼上用红绵索通连到楼门下的一座彩楼上，有一只金凤口里衔着皇上的赦诏下来，到彩楼上时，由通事舍人接过赦诏高声宣读。开封府和大理寺把将被赦免的犯人安排在宣德楼前，犯人都身穿着有红色条缝的黄布衫，狱吏们都是头戴簪花，衣着干净整洁，听到鼓声响起，就打开犯人所戴的木枷把他们释放。得释犯人一起高呼谢恩，完了之后，宣德楼下的军乐队奏响音乐，杂剧艺人旋转起舞，禁军御龙直武士表演装神鬼，并表演用真刀对打的武术。宣德楼上的百官被皇上赐给茶酒，禁军的各部组织骑兵的马队，率领六军返回营地。到下午申时，宣赦仪式结束。

## 驾还择日诣诸宫行谢

驾还内，择日诣景灵东、西宫，行恭谢之礼三日。第三日毕，即游幸别宫观或大臣私第。是月卖糍糕鹌兔方盛。

[译文]

圣驾回到内宫，再选择吉日前往景灵东宫和景灵西宫，举行恭谢之礼共三天。到第三天结束之后，就前往其他的道观或者大臣的私宅游玩巡幸。这个月卖糍糕和鹌兔的生意开始兴盛。

# 十二月

十二月，街市尽卖撒佛花、韭黄、生菜、兰芽、勃荷①、胡桃、泽州饧。初八日，街巷中有僧尼三五人，作队念佛，以银铜沙罗或好盆器，坐一金、铜或木佛像，浸以香水，杨枝洒浴，排门教化②。诸大寺作浴佛会，并送七宝五味粥与门徒，谓之"腊八粥"。都人是日各家亦以果子杂料煮粥而食也。腊日，寺院送面油与门徒，却入疏教化上元灯油钱。闾巷家家互相遗送。是月景龙门预赏元夕③于宝箓宫，一方灯火繁盛。二十四日交年④，都人至夜请僧道看经，备酒果送神，烧合家替代钱纸，贴灶马⑤于灶上。以酒糟涂抹灶门，谓之"醉司命"。夜于床底点灯，谓之"照虚耗"。此月虽无节序，而豪贵之家，遇雪即开筵，塑雪狮，装雪灯雪□⑥，以会亲旧。近岁节，市井皆印卖门神、钟馗⑦、桃板、桃符⑧，及财门钝驴、回头鹿马、天行帖子。卖干茄瓠、马牙菜、胶牙饧之类，以备除夜之用。自入此月，即有贫者三数人为一火，装妇人神鬼，敲锣击鼓，巡门乞钱，俗呼为"打夜胡"⑨，亦驱祟之道也。

[注释]

①勃荷：即薄荷。②教化：僧人尼姑进行化缘并宣传佛教教义感化世人。③预赏元夕：即元宵节赏月庆贺活动的一次预演，一般是在十二月二十一日举行。王明清《挥麈后录》卷四云："徽宗宣和七年十二月二十一日，就睿谟殿张灯，预赏元宵，曲燕近臣。"④交年：宋时称十二月二十四日为交年，意思是新年与旧年交替。后来又称此日为小年。陈元靓《岁时广记》卷三十九引《岁时杂记》云："每岁十二月二十四日，新旧更易，皆焚纸币，诵道经咒，以送故迎新，而为禳祈云。"⑤灶马：灶神的画像，祭灶时把它贴在灶门

之下，称为灶马。古代祭祀灶神为五祀之一，相传灶神即是炎帝。《淮南子·泛论训》云："故炎帝于火而死为灶。"汉高诱注云："炎帝神农，以火德王天下，死托祀于灶神。"⑥雪□：原刊本这里脱一字。⑦钟馗：古代传说，唐明皇曾病疟，梦见一大鬼捉小鬼啖之，此大鬼貌丑而穿戴破帽、蓝袍、角带、朝靴，自谓是终南进士，曾应举不第而触阶死。明皇醒而病愈，诏吴道子画钟馗像。后世遂成为风俗，端午或过年时就画钟馗像贴于门首，用以驱除鬼魅。这里所记即是钟馗画像。⑧桃板、桃符：古代过年时驱邪的画符。相传东海度朔山有大桃树，其下有神荼、郁垒二神，能食百鬼。故旧俗在农历大年初一用桃木板画二神于其上，悬于门首，称为桃符，其板称为桃板。后来，桃符逐渐演变为春联。王安石《元日》诗云："千门万户曈曈日，总把新桃换旧符。"可见北宋时这种风俗普遍流行。⑨打夜胡：又称为"打夜狐"或"打野胡"，古代风俗于腊月底举行的驱鬼傩戏。杨彦龄《杨公笔录》云："唐敬宗善击球，夜艾，自捕狐狸为乐，谓之打夜狐。故俗因谓岁暮驱傩为打夜狐。"又赵彦卫《云麓漫钞》卷九云："世俗岁将除，乡人相率为傩，俚语谓之打野胡。"

[译文]

　　进入十二月，街巷集市上都是卖撒佛花、韭黄、生菜、兰芽、薄荷、胡桃、泽州饧等物的。初八那天，街巷中有和尚或尼姑三五人，结队念佛，用银制或铜制的沙罗或者是其他质地优良的盆式器皿，里面放着一个坐姿的金、铜或木雕的佛像，用香水浸泡着，并用杨枝蘸水洒在佛像身上如沐浴状，挨门进行化缘。京城里各大寺院都作浴佛会，并且送七宝五味粥给信徒们，这叫做"腊八粥"。京城里的人们在这一天各家也都用干果等配料煮粥吃。腊八这天，寺院还把白面及香油送给门徒，又写成文告向民众宣讲教义并募化元宵节的灯油钱。街巷中的居民各家也互相馈送食品等。这个月里，皇上还要在景龙门外的宝箓官举行一次元宵节赏月庆贺活动的预演，这时这一带的灯火通明。二十四日是交年，京城里的人们到这天夜晚要请僧人或道士诵经，准备酒品与水果等送神，烧一次合家替代钱纸，还把灶王爷的画像贴在灶台上。又用酒糟涂抹在灶门上，这叫做"醉司命"。夜里要在床底下点一盏小灯，这叫做"照虚耗"。这个月里虽然没有什么节日，但是达官显贵之家，每逢下雪就要摆酒宴，堆塑雪狮子，挂起雪灯，以此与亲朋故旧聚会。临近新年的时候，集市上到处都有人印刷并出售门神、钟馗、桃板、桃符，以及财门钝驴、回头鹿马、天行帖子等过年需要张贴的东西。还有出卖干茄瓠、马牙菜、胶牙饧之类食品的，用来准备除夕夜晚过年用。自从进入腊月，就有穷苦人三几人为一伙，装扮成妇人神鬼形象，敲锣打鼓，挨门讨钱，世俗叫他们是"打夜胡"，也是驱鬼除邪的一种形式。

# 除 夕

至除日，禁中呈大傩仪①。并用皇城亲事官、诸班直戴假面②，绣画色衣，执金枪龙旗。教坊使孟景初③身品魁伟，贯全副金镀铜甲，装将军。用镇殿将军二人，亦介胄，装门神。教坊南河炭丑恶魁肥，装判官。又装钟馗小妹④、土地、灶神之类，共千馀人，自禁中驱祟，出南薰门外转龙弯，谓之"埋祟"而罢。是夜禁中爆竹山呼，声闻于外。士庶之家，围炉团坐，达旦不寐，谓之"守岁"。

凡大礼与禁中节次，但尝见习按，又不知果为如何。不无脱略，或改而正之，则幸甚。孟元老识。

[注释]

①大傩仪："傩"是古代驱鬼逐疫的祭祀仪式。商、周时已有这种习俗。《论语·乡党》有"乡人傩"一语，可知孔子时代此习已形成。《吕氏春秋·季冬纪》云："命有司大傩旁磔。"后有前人注云："大傩，逐尽阴气为阳导也。今人腊岁前一日击鼓驱疫，谓之岁除，是也。"这里写禁中大傩仪，可知

北宋时傩仪的习俗不仅存在于民间，而且宫廷中亦如此。②假面：即面具。古代傩舞必戴面具，春节时的傩戏也如此。陈元靓《岁时广记》卷四十引《岁时杂记》云："除日作面具，或作鬼神，或作儿女形，或施于门楣。驱傩者以蔽其面，或小儿以为戏。"③孟景初：参见卷之六"收灯都人出城探春"一节注③。又卷之九"宰执亲王宗室百官入内上寿"一节"第五盏，御酒"一段中，有孟景初出场。

[译文]

到了除夕那天，皇宫中要举行以傩戏驱邪的仪式。并且要用皇城亲事官、禁军各部武士等人戴着面具，身穿锦绣彩色花衣，手执金枪龙旗，进行各种表演。教坊使孟景初身材高大魁梧，他穿着一套全副武装的镀金铜盔甲打扮成将军。又有禁军的镇殿将军两名，也顶盔戴甲，打扮成门神。教坊司的南河炭长得相貌丑恶身材肥胖，他装扮成判官。又有人装扮成钟馗及其小妹、土地爷、灶君爷等神，共有一千多人，从皇宫中出来驱逐邪祟，这一队人出了南薰门外到转龙弯，这叫做"埋祟"，之后就结束了。这天夜里皇宫中爆竹轰响与众人呼喊，声音之大在皇宫之外都能听到。一般士大夫以及普通百姓人家，除夕夜要围着火炉坐在一起，到天亮都不睡，这叫做"守岁"。

各种重大的礼仪与皇宫中过节的一些活动，只是曾经看见这样做，却不知道到底是为什么。这里的记述难免有遗漏或省略，如果有人能够指出或纠正其中不合适的地方，那就太好了。孟元老识。

# 附 录

## 静嘉堂文库[①]影印元刊本幽兰居士《东京梦华录》跋文

### 一、赵师侠[②]跋

祖宗仁厚之德,涵养生灵几二百年,至宣、政间,太平极矣。礼乐刑政,史册具在,不有传记小说,则一时风俗之华,人物之盛,讵可得而传焉。宋敏求[③]《京城记》载坊门公府宫寺第宅为甚详,而不及巷陌店肆节物时好。幽兰居士记录旧所经历为《梦华录》,其间事关宫禁典礼,得之传闻者,不无谬误,若市井游观,岁时物货,民风俗尚,则见闻习熟,皆得其真。余顷侍先大夫与诸耆旧,亲承謦欬,校之此录,多有合处。今甲子一周,故老沦没,旧闻日远,后余生者,尤不得而知,则西北寓客[④]绝谈矣。因锓木以广之,使观者追念故都之乐,当共起风景不殊之叹。淳熙丁未[⑤]岁十月朔旦,浚仪赵师侠介之书于坦庵。

[注释]

①静嘉堂文库：日本东京收藏中国古籍的图书馆名。此文据1982年中国商业出版社出版《东京梦华录》附录的《东京梦华录叙录》抄录。②赵师侠：字介之，宋太祖赵匡胤第二子赵德昭的七世孙。南宋孝宗淳熙二年（1175年）进士，淳熙十五年（1188年）官江华郡丞。他是宋朝宗室，祖上在汴京生活，其籍贯为浚仪（今河南开封市）。此跋撰作于淳熙十四年（1187年）。据跋文可知，赵师侠曾资助《东京梦华录》刊刻。③宋敏求：字次道，北宋仁宗朝赐进士及第，累官至龙图阁直学士，元丰初年卒。著作有《春明退朝录》、《唐大诏令集》、《长安志》等。所著《京城记》见于陈振孙《直斋书录解题》著录，今未见。④西北寓客：泛指北宋士大夫官员等渡江依附于临安者，并非指某一人，亦即上文所云"诸耆旧"。⑤淳熙丁未：即南宋孝宗淳熙十四年（1187年）。《东京梦华录》最早刻本当刻于此年。

## 二、黄丕烈①跋（二篇）

此幽兰居士《东京梦华录》十卷，东城顾桐井家藏书也。因顾质于张，余以白金二十四两从张处赎得。装潢精妙，楮墨古雅，板大而字细。人皆以为宋刻，余独谓不然，书中惟"祖宗"二字空格，余字不避宋讳，当是元刻中之上驷。至于印本，当在明初，盖就其纸背文字验之，有"本班助教廖，崇志堂西二班学正翁深，学正江士鲁考讫，魏克让考讫，正义堂，诚心堂西二班民生黄，刷卷，远差，易中等，《论语》，《大诰》"，云云。虽文字不可卒读，而所云皆国子监中事，知废纸为监中册籍也。余向藏何子未校本，即出于此刻，知毛刻②犹未尽善，不但失去淳熙丁未浚仪赵师侠之后序而已。竹垞翁③所藏为弘治癸亥④重雕本，此殆其原者，惟汲古阁珍藏本有所谓宋刻，其书目载之，未知与此又孰胜耶？卷中收藏图书甚多，知其人者独顾氏大有诸印，为我吴郡故家。"夷白斋"一印，不知是陈基否？然篆文印色俱新，恐非其人矣。嘉庆庚申⑤闰四月芒种后三日，辑所见古书录，启缄读之，因补题数语于后，阅收得时已二载馀矣。读未见书斋主人黄丕烈识。

是书已归艺芸书舍⑥，前因匆促，未获录副。且有毛氏汲古旧藏抄本在，似与此本微异，而抄本又有吴枚庵临校宋本在其上，故去此留彼。既而又得见弘治本，复覆勘之，始知一本有一本之佳处，反思元本之未及校为可惜。幸艺芸主人乐于通假，遂借归手校。元刻固精美无比，惜经描写，略为美玉之瑕。苟非余藏旧抄，乌知描写之误邪？还书之日，附载斯语，以质诸同好者。道光癸未⑦仲春，荛夫。

[注释]

①黄丕烈（1763~1825年）：字荛圃，一字绍甫，又字绍武，清长洲（今属江苏苏州）人。乾隆五十三年（1788年）举人，曾官主事。平生嗜学好古，曾得到宋版书百馀种，构建专室收藏，名为"百宋一廛"。其藏书甚富，成为东南藏书家之巨擘。所著书有《荛言》、《百宋一廛书录》、《荛圃所见古书录》、《士礼居题跋记》等十馀种。②毛刻：即毛晋和沈士龙刊刻的秘册汇函本《东京梦华录》，见后文。③竹垞翁：即朱彝尊，字锡鬯，号竹垞，清康熙时中博学鸿词，官翰林检讨。著作有《曝书亭全集》等。④弘治癸亥：即明代弘治十六年（1503年）。《东京梦华录》明代刻本最早刻于此年。⑤嘉庆庚申：即清嘉庆五年（1800年）。今见1988年中华书局出版的江标所编《黄丕烈年谱》记嘉庆五年事云："闰四月芒种后三日，跋元刻幽兰居士《东京梦华录》。"⑥艺芸书舍：清汪士钟藏书室名。汪士钟，字阆源，长洲（今属江苏苏州）人，好藏书。著有《艺芸精舍宋元本书目》、《摹刻宋本孝经义疏》等。后来黄丕烈的藏书也多归之。今见1988年中华书局出版的江标所编《黄丕烈年谱》记嘉庆二十年（1815年）事云："以元本《东京梦华录》归汪阆源。"同年又云："季冬，以宋景祐本《汉书》归汪厚斋。"汪厚斋即汪士钟之父，名文琛，号厚斋，阮元曾为之撰墓志铭。⑦道光癸未：即清代道光三年（1823年）。今见1988年中华书局出版的江标所编《黄丕烈年谱》所附王大隆

《黄荛圃先生年谱补》记道光三年事云："二月二十四日，张讱庵先生为覆校《东京梦华录》。二月，借艺芸书舍元椠《梦华录》校刻本，跋之。"

## 三、影印元刊本《东京梦华录》解题（从日文译）

本书是宋朝孟元老在南渡之后，追忆北宋首都汴京的盛况而作。关于当时的地理、风俗、习惯以及宫廷和民间的生活状况，都有翔实的记载，是学术研究上很有用处的一部书。《四库提要》举了些例证，认为本书对当时的朝章国制，可以补订宋史的阙讹。但在上述之外，还应当把它作为一般文化史，以及足以说明都市生活实情的经济史的很好的素材。例如卷五"京瓦伎艺"条，就已经是戏曲、小说研究者所乐于引用的。

黄丕烈的跋语里说，此书"装潢精妙，楮墨古雅"，"人皆以为宋刻，余独谓谓不然，书中……不避宋讳，当是元刻中之上驷。至于印本，当在明初"[①]，云云，大概是元代至正年间在浙江刊版的，书中往往取用了明代国子监的废纸以供印刷。

本书流传甚鲜，单行本除影印本外，尚有明弘治刊本，惟多误刻之处；又有影钞本，亦多误笔。根据此元刻本参照，可加以校正。本库另藏《秘册汇函》本，便是在道光年间曾经张讱庵根据此元刻本和弘治刊本加以手校过的。

本书系明代顾元庆[②]所藏，入于清代，转归黄丕烈所有，后经陆氏之手收入本库。今付影印，以为《静嘉堂秘笈》的第三种。昭和十六年[③]六月，静嘉堂文库。

[注释]

①这段跋语是黄丕烈于嘉庆五年（1800年）所题，已见前。②顾元庆：明代藏书家，字大有，长洲（今属江苏苏州）人。家在阳山大石下，学者称为大石先生，名其堂曰夷白，藏书万卷，择其善本者刻之。③昭和十六年：日本天皇纪年，即1941年。

# 赵希弁[①]《昭德先生郡斋读书志》"附志"中《梦华录》题记

### 《梦华录》一卷

右梦想东都之录也。宋敏求《京城记》载坊门、公府、宫寺、第宅为甚详,而不及巷陌、店肆、节物、时好。孟元老记录旧所经历,而为此书。坦庵赵师侠识其后。

[注释]

①赵希弁:字君锡,南宋袁州(今江西宜春)人,宋朝宗室。漕贡进士,曾官秘书省校勘。家藏书甚富,曾参校有关书目,作《昭德先生郡斋读书志》四卷,附志一卷,后志二卷,二本四卷,考异一卷,今存于《四部丛刊三编·史部》及《续古逸丛书》。

# 马端临[①]《文献通考》中《东京梦华录》提要

### 《东京梦华录》一卷

陈氏[②]曰称幽兰居士孟元老撰。元老不知何人,少游京师,晚值丧乱之后,追述旧事,兼及国家典祀、里巷风俗,以其首载京城宫阙桥道坊曲尤详,故系之地理类。

[注释]

①马端临:字贵与,南宋度宗咸淳年间右丞相马廷鸾之子,以父荫曾官承事郎,后随父归乡家居,致力于学术。所著《文献通考》三百四十八卷,成书于元初。其中《东京梦华录》见卷二百四"经籍三十一"。②陈氏:即陈

振孙,字伯玉,号直斋,南宋安吉(今属浙江湖州)人。南宋理宗端平年间曾官浙西提举,后知嘉兴府,再升侍郎。藏书甚多,著《直斋书录解题》,考订精徽,是书目学的重要文献。马端临生活时代晚于陈振孙,故其《文献通考》中叙述古籍文献多引录晁公武的《郡斋读书志》和陈振孙的《直斋书录解题》。但今所见《四库全书》和《丛书集成初编》中所收入的《直斋书录解题》中却没有《东京梦华录》。因此疑马端临所看到的《直斋书录解题》中有《东京梦华录》,而后来《直斋书录解题》在流传过程中其内容有所删减。《四库全书》所收《东京梦华录》卷前提要就不提《直斋书录解题》而从《文献通考》引录。

# 《秘册汇函》[①]本《东京梦华录》跋文

## 一、沈士龙[②]跋

余尝过汴,见士庶家门屏及坊肆阖扇,一如武林,心窃怪之。比读《东京梦华录》所载贵家士女小轿不垂帘幕,端阳卖葵蒲艾叶,七夕食油面糖蜜煎果,重九插糕上以翦彩小旗,季冬二十四日祀灶,及贫人妆鬼神驱祟,悉与今武林同俗,乃悟皆南渡风尚所渐也。至其谓勾栏为瓦肆,置酒有四司等人,食店诸品名称,武林今虽不然,及检《古杭梦游录》[③],往往多与悬合,惟内家游览,民俗炫夸,《梦游》多逊《梦华》盛耳。嗟乎!繁华过眼,若阿閦[④]一现,元老梦华,何知后人更作华游也。余两人刻此,则又梦元老之梦矣。绣(秀)水沈士龙识。

[注释]

①《秘册汇函》:明沈士龙、胡震亨辑,收入古籍珍本24种,《东京梦华录》是其中之一。万历年间刊行,今存。②沈士龙:生平未详,今仅知他

为秀水（今属浙江湖州）人，与胡震亨友善，二人一同校订刊刻古籍。③《古杭梦游录》：作者姓赵，名不详，号耐得翁。此书记南宋初期临安琐事，今存于《四库全书》。又有《都城纪胜》，亦是耐得翁所著。④阿閦（chù）：佛名，《法华经》卷三和《阿閦佛国经》卷上都记有阿閦事迹，他住在东方妙喜世界，偶然一现身。后人以阿閦一现比喻好景短暂、转瞬即逝之意。

## 二、胡震亨①跋

《梦华录》多记崇宁以后所见，时方以逸豫临下，故若彩山灯火，水殿争标，宝津男女诸戏，走马角射，及天宁节女队归骑，年少争迎，虽事隔前载，犹令人想见其盛。至如都人探春，游娱池苑，京瓦奏技，茶酒坊肆，晓贩夜市，交易琐细，率皆依准方俗，无强藻润，自能详不尽杂，质不坠俚，可谓善记风土者。但大内所载殿阁楼观，仅仅十一，无论诸宫，只如政和新宫，自延福、穆清已下，尚有四十余殿，而艮岳于时最称雄丽，何可略也？且记中尝及童、蔡园第，后家戚里，当时借权灼�，诱乱导亡之事，绝不因事而见，此盖不得杨衒之②《洛阳伽蓝》法耳。武原胡震亨识。

[注释]

①胡震亨：字孝辕，晚自称遁叟，明代万历时海盐（今浙江海盐）人。举人出身，曾官兵部员外郎，后辞官归里，喜藏书，潜心钻研学问，著作有《唐音统签》、《赤城山人稿》、《读书杂志》等。②杨衒之：或作羊衒之，北魏时人，生平未详。所著《洛阳伽蓝记》，五卷，记述北魏时洛阳佛寺建置兴废情况，旁及社会政治及民间风俗，是关于佛教在中国传播及北朝历史的一部重要文献。

## 《津逮秘书》[①]本《东京梦华录》跋文

宗少文[②]好山水,爱远游,既因老疾,发"卧游"之论。后来凡深居一室,驰神八遐者,辄祖其语,作《梦游》、《卧游》以写志,坊间乃与《梦华》合刻,不知《卧游》诸录,特作汗漫游耳,若幽兰居士华胥一梦,直以当《麦秀》、《黍离》之歌,正未可同玩。况昔人所云木衣绨绣,土被朱紫,一时艳丽惊人风景,悉从瓦砾中描画幻相。即令虎头提笔,亦在阿堵间矣。庶几与《洛阳伽蓝记》并传,元老无遗憾云。湖南毛晋[③]识。

[注释]

①《津逮秘书》:丛书名,明崇祯年间毛晋校刊。毛晋取沈士龙和胡震亨辑刻未成的《秘册汇函》残板,增补以自己收藏的秘籍,编辑成书。收入古代珍籍144种,752卷,《东京梦华录》在第十集。清代嘉庆时张海鹏在《津逮秘书》的基础上又加以取舍,把丛书名更改为《学津讨原》,今存嘉庆十年(1805年)虞山张氏照旷阁刊本,《东京梦华录》在第七集。毛晋跋文今见存于《学津讨原》本《东京梦华录》卷末。②宗少文:即宗炳,字少文,南朝宋南阳人,著名隐士。《宋书·宗炳传》云:"有疾还江陵,叹曰:'老病俱至,名山恐难遍睹,惟当澄怀观道,卧以游之。'"③毛晋(1599~1659年):明末清初著名藏书家、出版家。原名凤苞,字子九,后字子晋,别号汲古阁主人,江苏常熟人。诸生,未出仕。好古博览,筑汲古阁,藏书数万卷,多善本。刊行的古籍甚多,主要有《十三经注疏》、《十七史》、《津逮秘书》、《六十种曲》等。毛氏世居于常熟昆湖之东,或云湖之南,毛晋晚号隐湖,因此这里署名为"湖南毛晋"。

## 《四库全书》所收《东京梦华录》卷前提要[①]

《东京梦华录》十卷,宋孟元老撰。《通考》[②]谓元老不知何许人。此书自都城、坊市、风俗及当时典礼、仪卫，靡不核载。所纪与宋志③颇有异同。如宋志南郊仪注，前三日但云：斋于大庆殿、太庙及青城斋宫，而是书载车驾宿大庆殿仪，驾宿太庙奉神主出室仪，驾诣青城斋宫仪，委曲详尽。又如郊毕解严，宋志但云"御宣德门肆赦"，而是书载下赦仪亦极周至。惟行礼仪注，宋志有皇帝初登坛、上香奠玉币仪，既降，盥洗，再登坛，然后初献，而是书奏请驾登坛，即初献，无上香奠玉帛仪。又太祝读册，宋志列在初献时，是书初献之后，再登坛始称读祝，则不及宋志之密。然参互考核，不可谓无裨史学也。乾隆四十二年五月恭校上。

[注释]

①此条据文渊阁《四库全书》影印本"史部十一·地理类八·杂记之属"所收《东京梦华录》卷前提要抄录，但此提要与《四库全书总目提要》一书中的提要文字有所差异，详见后。②《通考》：即马端临《文献通考》，已见前。③宋志：即《宋史》卷九十九"礼志二·南郊"，其"仪注"部分记神宗所进行的祭祀礼仪详情，云："神宗元丰六年十一月二日……是日晚，斋于大庆殿。三日，荐享于景灵宫，斋于太庙。四日，朝享七室，斋于南郊之青城。五日，冬至，祀昊天上帝于圜丘，以太祖配。是日，帝服袍靴，乘辇至大次……三上香，奠玉币，执圭……帝降坛，乐止……再诣洗，帝执大圭，盥帨……三奠讫……太祝读册，帝再拜讫，乐作。次诣太祖神座前，如前仪。……归大次，乐止。有司奏解严。帝乘舆还青城……帝常服，乘舆御宣德门，肆赦，群臣称贺如常仪。"《提要》谓《东京梦华录》所记与《宋书·礼志》颇有异同，这可能是徽宗时举行的祭祀礼仪已和神宗时的礼仪有所不同。

## 《四库全书总目提要》[1]卷七十"史部二十六·地理类三"中《东京梦华录》提要

**《东京梦华录》十卷（编修汪汝藻家藏本）**

宋孟元老撰。元老始末详，盖北宋旧人，于南渡之后，追忆汴京繁盛，而作此书也。自都城、坊市、节序、风俗，及当时典礼、仪卫，靡不赅载。虽不过识小之流，而朝章国制，颇错出其间。核其所纪，与宋志颇有异同。如宋志南郊仪注，郊前三日但云："斋于大庆殿、太庙及青城斋宫"，而是书载车驾宿大庆殿仪，驾宿太庙奉神主出室仪，驾诣青城斋宫仪，委曲详尽。又如郊毕解严，宋志但云"御宣德门肆赦"，而是书载下赦仪亦极周至。又行礼仪注，宋志有"皇帝初登坛，上香奠玉币仪；既降，盥洗，再登坛，然后初献"，而是书奏请驾登坛，即初献，无上香献玉帛仪。又太祝读册，宋志列在初献时，是书献之后，再登坛始称读祝，亦小有参差。如此之类，皆可以互相考证，订史氏之讹舛，固不仅岁时宴赏，士女奢华，徒以怊怅旧游，流传佳话者矣。

[注释]

①《四库全书总目提要》：此提要是乾隆四十七年（1782年）由四库馆臣奉旨编定的，由于出于众人之手，又限于功令和时限，因而有不少错误，有些古籍的提要和《四库全书》中实际誊录的提要也有所不同。为此，近人余嘉锡著《四库提要辨证》一书予以考辨。因此，《四库全书总目提要》一书《东京梦华录》的提要文字和《四库全书》中实际誊录的提要有所不同，这里将两份提要一并收录于此后，以资比对。

# 李濂① 《跋〈东京梦华录〉后》

幽兰居士孟元老《东京梦华录》一册十卷，凡宋之京城、河渠、宫阙、官府、寺观、桥巷、市井、勾肆，大而朝贺典礼，小而口味戏剧，无不详备，可谓勤矣。元老不知何人，观是录纂述之笔，亦非长于文学者。大抵是录拟宋敏求《东京记》而作。《东京记》上、中、下三卷。上卷为宫城，周五里，唐宣武节度治所，建隆三年广城之北隅，用洛阳宫殿之制修之。中卷为旧城，周二十一里，唐汴州城也，号阙城，亦曰里城。下卷为新城，周四十八里，周世宗所筑罗城也，号国城，亦曰外城。敏求尝撰《长安》、《河南》二志，其学宏博，元老不逮也。元老自序，自徽宗崇宁二年癸未入京师，至靖康元年丙午避兵南徙，盖寓京师者二十有三年，故记载时事极为详备。但是时艮岳②已成，梁台、上方寺塔③俱在，而录内无一言及之，不知何也。由是观之，则元老之所遗漏者抑多矣。嗟乎！自靖康丙午迄今五百馀年④，兵燹之所燔爇，黄河之所冲淤，都城胜迹，湮没殆尽。览是录者，能无黍离之悲乎？

[注释]

①李濂（1488~1566年）：字川甫，号嵩渚，祥符（今河南开封）人。明正德九年（1514年）进士，曾官沔阳知州、宁波同知、山西按察司佥事。嘉靖五年（1526年）免官归里，家居四十余年。著作甚丰，主要有《嵩渚集》一百卷及《祥符文献志》、《祥符先贤传》、《汴京遗迹志》等。他所撰《跋〈东京梦华录〉后》见《汴京遗迹志》卷十八。②艮岳：北宋末在汴京城内东北景龙山侧人工堆筑的一座小山，以像余杭的凤凰山，因在京城中的东北方位，故名艮岳。工始于政和七年（1117年），宦官梁师成董其事，朱勔搜求全

国奇花异木、太湖奇石及珍禽异兽等，号为"花石纲"，劳民伤财，致使天下怨声载道。宣和四年工成，徽宗自撰《艮岳记》。后更名为寿山，京城人又称之为万寿山。艮岳的正门名为阳华门，因而艮岳又名为阳华宫。李濂《汴京遗迹志》卷四"山岳"有对于艮岳的详细记述。③梁台、上方寺塔：梁台，原名吹台，在汴京城东南三里处，相传是汉代的古吹台，又名梁台，一名雪台，俗呼为二姑台。明代在台上建禹王庙，又改称为禹王台。上方寺，在汴京城中东北角夷山上，即开宝寺之东院，又名上方院。宋仁宗庆历年间开宝寺灵感塔毁，复于上方院中建造铁色琉璃塔，八角十三层，高三百六十尺，俗称铁塔寺。此铁塔也就称为上方寺塔。④靖康丙午：为1126年，而李濂卒于明嘉靖四十五年（1566年），其间最大限度也就是四百多年。这里说"迄今五百馀年"有误。

# 钱曾①《读书敏求记》中《梦华录》题记

## 《梦华录》十卷

幽兰居士孟元老追叙东京旧游，编次成集，缅想曩昔，如同华胥梦觉，因名《梦华录》。书成于绍兴丁卯，去靖康丙午之明年，又二十一年矣。南渡君臣，其独有故都旧君之思如元老者乎？刘屏山②汴京绝句"忆得少年多乐事，夜深灯火上樊楼"，盖同一寤叹也。予衰迟晚，情怀牢落，回首凄然，感慨尤甚于元老。今阅此书，等月光之水，但无人为除去瓦砾耳。

[注释]

①钱曾：清代藏书家，字遵王，号也是翁，清初钱谦益族孙，江苏常熟人。喜好藏书，致力于搜求古籍善本。所著《读书敏求记》、《述古堂书目》都是著名的书目文献。《东京梦华录》的题记在《读书敏求记》卷二"地理舆图"类。②刘屏山：即刘子翚，字屏山，宋钦宗时资政殿学士刘韐次子，以

父荫判兴化军。后辞官归家，从事讲学与著述，学者称之为屏山先生。其诗见其所著《屏山集钞》中《汴京纪事》二十首之十八，《宋诗钞》收录，诗云："梁园歌舞足风流，美酒如刀解断愁。忆得少年多乐事，夜深灯火上樊楼。"

# 黄丕烈《荛圃藏书题识》[①]中《东京梦华录》题记

## 《东京梦华录》十卷（校宋旧钞本）

乙亥八月，借江氏宋刊本校阅一过。枚庵漫士[②]。

余向见《汲古阁珍藏秘本书目》有宋版《东京梦华录》，及收得一元刻，楮墨精好，始疑宋版之说，或即指是。盖元刻亦不易得也。顷从吴枚庵家获其散出之书，中有旧钞《东京梦华录》，系枚庵手校江氏宋刊本，云宋本八行十六字，取对元刻，行款不同，卷中红笔校处亦多歧异，乃叹天壤甚大，有宋版而不能发现者，几危矣哉。甲子三月十日[③]，荛翁识。

余旧藏元刻本，为顾五痴家物，因与此钞本及校宋本俱不符，故未校。兹昨岁冬季，已归艺芸书屋，只留此旧钞校本，为斋中展玩之副，盖此等书非有关大用，不必定以刻本为胜也。聊书数语，以当解嘲。丙子岁初三日[④]，复翁。

戊寅夏，慈溪蒋氏书散出，为寿松堂孙氏收得，中有弘治甲子年重刻本，每叶十六行，行十六字，大旨与此所校八行十六字本同，或当日即据此本以为宋刊也。校本云八行者，就半叶计之也。方悔前此信此校本为宋刊，故不敢以元刻校宋，兹见明刻与宋校合，而所谓宋刊者全不可信。甚哉书非目见难以臆断也。初伏第四日，复翁记。

越日晨起无事，取弘治甲子重新刊行本手校其异于别纸，间有胜于校本者，拟仍录诸卷中。至讹谬处亦复不少，似前跋以为八行十六字即是此本未必确也。总之，书未目睹，凭口说耳食以定是非，断断乎其不可。校毕，复翁又记。

道光癸未元夕后三日，沈小宛⑤借此归还，因欲注其所撰《荆公文集注》也。中有校语二条，并记。荛夫。《梦华录》十卷（校元本）。

余所收东城顾桐井家大板细字元刻幽兰居士《东京梦华录》十卷，楮墨精好，是明初印本，已归诸艺芸书舍矣。顷于坊间获此刻，少第十卷，倩工摹《秘册汇函》本补之，仍往借之，手校如右，并补赵师侠跋。兹因手校，知字有描写处，稍为美玉之疵耳。癸未二月⑥，荛夫。幽兰居士《东京梦华录》十卷（元印本）。

[注释]

①《荛圃藏书题识》：黄丕烈所著书之一。本来黄丕烈著有《士礼居题跋记》六卷，吴县潘文勤"滂喜斋"刊本；《士礼居题跋续记》二卷，元和江标刊《灵鹣阁丛书》本；《士礼居题跋再续记》二卷，江阴缪荃孙辑，顺德邓实《国学汇刊》活字本。后来缪荃孙和长洲章钰、仁和吴昌绶共同编辑，把以上潘、江、邓三家刻本合在一起，又增加数百篇，分为十卷，民国8年己未（1919年）刊行。②枚庵漫士：即黄丕烈好友吴翌凤，字伊仲，号枚庵，江苏吴县人。嘉庆时诸生，好读书，手抄书数千百卷。所著书有《吴梅村诗集笺注》、《与稽楼丛稿》、《怀旧集》等。③甲子三月十日：甲子即嘉庆九年（1804年）。今见1988年中华书局出版的江标所编《黄丕烈年谱》记嘉庆九年事云："三月十日，跋新从吴枚庵家得渠手校旧钞本《东京梦华录》。"④丙子岁初三日：丙子即嘉庆二十一年（1816年）。今见1988年中华书局出版的江标所编《黄丕烈年谱》记嘉庆二十一年事云："正月初三日，再跋校宋旧钞本《东京梦华录》。"⑤沈小宛：即黄丕烈好友沈钦韩（1774～？年），字文起，又小宛，江苏吴县人。今见1988年中华书局出版的江标所编《黄丕烈年谱》记嘉庆五年事云："元夕后三日，五跋校宋旧钞本《东京梦华录》。时为沈小宛借去，方送归也。"⑥癸未二月：即道光三年（1823年）二月。此时黄

丕烈所校的《东京梦华录》缺第十卷，是一种残本。今见1988年中华书局出版的江标所编《黄丕烈年谱》记道光三年事云："仲春，从汪阆源借乙亥年所归《东京梦华录》，校新得残元本，再跋。"

# 张元济①《涵芬楼烬余书录》②中《东京梦华录》题记

幽兰居士《东京梦华录》十卷，影元钞本，二册，毛子晋旧藏。

卷首作者孟元老绍兴丁卯自序，末有淳熙丁未浚仪赵师侠介之后序。半叶十四行，行二十二字。昔黄荛圃曾见元刻，谓书中惟"祖宗"二字空格，余字不避宋讳，当是元刻中之上驷。今此本正同，卷一有"汲古主人"及"子晋"印记，颇似毛氏旧钞。荛圃谓毛刻未尽善，且失去介之后序。岂模写在梓行后耶？

余友邓孝先③藏道光壬辰常茂徕④邦崖钞本，常氏跋云："艮岳为一时巨观，且以萃天下之名胜，独缺而不书。谢朴园序指为为宣和讳，以余观之，讳诚是矣，而为宣和讳则非。何则？花石之进，为太守朱勔⑤；艮岳之筑，专其事者为户部侍郎孟揆⑥。揆非异人，即元老也，元老其字而揆其名者也。推元老之意，亦知其负罪与朱勔等，必为天下后世所共指责，故隐其名而著其字。"孝先谓："揆字元老，无他书为之左证，而前人读书细心处不可掩。"云云。爰录其说，以广旧闻。

[注释]

①张元济（1867~1959年）：字菊生，浙江海盐人。光绪十八年（1892年）进士，曾官刑部主事，1898年在北京创设通艺学堂，参与康有为戊戌变法，维新运动失败后被革职永不叙用。光绪二十七年（1901年）参与经营商

务印书馆。1929年主持编成《四部丛刊初编》，后又辑成《续编》、《三编》，继又编成《续古逸丛书》。中华人民共和国成立后参加中国人民政治协商会议，后为全国人大代表，曾任商务印书馆总经理、上海博物馆馆长等职。1959年逝世，终年92岁。著作有《校史随笔》、《涵芬楼烬余书录》等。当代又有《张元济古籍书目序跋汇编》，2003年商务印书馆出版。②《涵芬楼烬余书录》：涵芬楼，现代商务印书馆专贮珍贵图书的藏书楼。该馆从清光绪末年就搜集南北藏书家散出的孤本秘籍多种，曾选取部分古书编印为《涵芬楼秘笈》等。至1924年，东方图书馆建立，另辟专室，将涵芬楼迁至其中。1932年"一·二八"事变发生，日本侵略军进攻上海，这批珍贵典籍被焚毁，但其中珍贵书籍574种因先移藏别处而得以保存。张元济所编《涵芬楼烬余书录》即是这一批书籍的目录。其书后归北京图书馆。③邓孝先：即邓邦述，号孝先，江苏江宁（今南京）人。光绪时进士，1901年入直隶总督端方幕府为幕僚。1911年曾任吉林省民政使，1927年弃官回北京。喜藏书，有群碧楼藏书近4万卷，1927年将大部分藏书卖给中央研究院，改"群碧楼"为"寒瘦山房"。去世后其藏书卖给了苏州集宝斋、北京景文阁及东来阁、文殿阁等处。他收藏的常茂徕钞本《东京梦华录》不知落于何处，他人未获见。④常茂徕（1787～1874年）：字逸仙，号秋崖（或作邦崖），祥符（今河南开封）人。道光五年（1825年）拔贡，后屡试不第，遂专心著述。曾官登封、偃师县教谕。事迹见《中州先哲传·儒林传》。1982年中华书局出版的邓之诚《东京梦华录注》卷前自序云："有常茂徕者，开封老儒，同治中犹存，喜收拾乡邦文献而不甚读书，改窜《如梦录》，令人叹恨，即其人也。"这里略述常茂徕生平点滴而未说明出处。今见常茂徕的著作存世者有《读左漫笔》十六卷、《增订如梦录》一卷、《汴梁水灾纪略》一卷、《名人姓字辨同》、《洛阳石刻录》一卷，又有《石田野语》二卷与其弟常茂绩《臆见随笔》合刊；另有《春秋国都考》、《读经琐言》、《西汉质疑》、《汴京岁时记》等皆佚。⑤朱勔：见本书《东京梦华录》卷之七"驾幸临水殿观争标锡宴"一节注⑥。查《宋史·奸臣传》中的朱勔传及有关史料，朱勔并不曾官为太守。常茂徕说"太守朱勔"，当是误记。⑥孟揆：北宋末徽宗时权臣孟昌龄之子。孟昌龄是蔡京死党，曾官都水使者、工部侍郎、兵部尚书、保和殿大学士，孟揆因父亲的关系也窃据要职，先后官都水使者、户部侍郎、工部侍郎、龙图阁直学士，并曾奉旨主管建造万寿山。因此，在徽宗退位、钦宗即位之后，孟昌龄与其子孟扬、孟揆受到朝臣弹劾。《宋史·河渠志三》记钦宗靖康元年（1126年）御史中丞许翰上疏云："保和殿大学士孟昌龄，延康殿学士孟扬，龙图阁直学士孟揆，父子相继领职二十年，过恶山积……陛下方将澄清朝著，建立事功，不先诛窜昌龄父子，无以诏示天下。望籍其奸赃，以正典刑。"钦宗准奏，于是孟氏父子先后受到惩处。《三朝北盟会编》、《宋会要辑稿》、《靖康要录》中都有孟氏受到各种处分的记载。常茂徕说孟揆即是孟元老，只是臆测之词，缺乏确切的文献依据，不可相信。邓邦述称赞常茂徕读书心细，却并没有赞同他的这一推断。

# 《丛书集成初编》所收《东京梦华录》题记

本馆《丛书集成初编》[①]所选，《秘册汇函》及《唐宋丛书》[②]、《津逮秘书》、《学津讨原》皆收此本，"唐宋"本仅一卷，其他三本皆十卷，而"秘册"较早，故据以影印，并录"学津"本载赵师侠跋及"津逮"本毛晋跋于后。

[注释]

① 《丛书集成初编》：商务印书馆编辑出版的大型丛书，共收古籍3111种。汇辑了自宋代至清代的一百多种丛书，别其重复，分类编排，多数为重新铅字排版，并加断句，不宜排版的间用影印。自1935年起开始分期出版，约成十分之九，未出齐。《东京梦华录》据"秘册汇函本"影印，编为第3216号。② 《唐宋丛书》：明末钟人杰、张遂辰编辑的丛书，收入古籍103种。分为经翼、别史、子余、载籍四类。体例选材略同于《汉魏丛书》。所辑多为唐宋人著作，故名。但取材于《说郛》，多为删节之本。所收《东京梦华录》在"别史"类，亦取自《说郛》，只有一卷（宛委山堂本《说郛》卷六十八，商务印书馆本《说郛》卷九十一）。

图书在版编目(CIP)数据

东京梦华录/(宋)孟元老撰;王永宽注译.—郑州:中州古籍出版社,2010.6(2013.10重印)
(国学经典)
ISBN 978-7-5348-3353-3

I.①东…Ⅱ.①孟…②王…Ⅲ.①开封市-地方史学-史料-北宋②东京梦华录-注释③东京梦华录-译文Ⅳ.①K296.13

中国版本图书馆CIP数据核字(2010)第097043号

出版社:中州古籍出版社
　　　(地址:郑州市经五路66号　邮政编码:450002)
发行单位:新华书店
承印单位:河南大美印刷有限公司
开本:640mm×960mm　1/16　印张:14
字数:148千字　印数:20 001-24 000册
版次:2010年6月第1版　印次:2013年10月第5次印刷

定价:20.00元
本书如有印装质量问题,由承印厂负责调换。